ちくま新書

パンデミック監視社会

デイヴィッド・ライアン
David Lyon
松本剛史＝訳

JN052649

1639

パンデミック監視社会【目次】

誠実な同僚のボブ・パイク、友人のサウデガー・ジャグデフ、義兄弟のクリス・オズボーンを追悼して。新型コロナが彼らの命を奪っていった。

第1章

決定的瞬間

Defining Moments

†すべての始まり

すべては、またたく間の出来事だった。二〇二〇年一月、中国の武漢市の海産物市場から新しいウイルスが検出されたという、いささか気がかりなニュースが小さく流れた。そして二月には、「新型コロナウイルス」がみるみる世界中に広まっているというニュースがヘッドラインを埋めた。トイレットペーパーが買い占められるといった動きは予想の範囲内でも、食料品を消毒したほうがいいという勧告は想定外だった。三月になると、近所の公園の遊具やブランコの周りに鉄製のフェンスが設置されて、まるで犯罪現場のような様相を呈し、道行く人の顔にはマスクが見られるようになった。そしてほどなく、スマートフォンがパンデミック対策に使われはじめた。私自身にもお呼びがかかり、個人データを公衆衛生プラットフォームに使用することでパンデミックの経過を追跡し、今後の展開をモデリングして予測しようとする試みの是非について話し合うようになった。

その同じ月からマスメディアで、監視体制が急激に強化されたという報道が始まった。この時点での主なニュースは、デジタル接触確認システムが初めて導入されたことだった。

スマートフォンを使ってウイルスにさらされた可能性のある接触者を特定しようとするものだ。四月には大手テクノロジー企業のグーグルとアップルがBluetoothをもとにしたアプリの開発支援技術を共同で発表したが、これはプラットフォーム企業と政府がこうした監視のために協力し合っていることの証だった。「誤検出」やそれに伴って求められる検査・治療施設に加えて、プライバシーの侵害や差別、周縁化についての懸念は、この特効薬の効果に自信満々な人たちからはほとんど顧みられなかった。

また、人々がどこにいるのか、どこに行っていたのか、健康状態はどうなのかを記録したり、新型コロナウイルスの感染拡大を追跡するためのデータモデリングを行ったり、感染者に接触した可能性のある人々を特定したりするための監視も求められた。商取引やコミュニケーション、利便性のために日々使われている技術が、感染抑制の名目からあらゆる人々の動きを追うのに利用されることで、市民的自由に影響が及ぶのではという警告も出された。緊急事態である現在のために構築されたものが常態化し、ウイルスが抑制されたあとも持続するのではないかと懸念する声も聞かれた。

ところで、監視を使って感染症の流行に対処するという発想には、長い歴史がある。一八五四年にロンドンで大流行したコレラの原因を突き止めようと努めた、データサイエンティストの先駆けたる一医師、ジョン・スノウに敬意を表したい。当時コレラは「青死病」と呼ばれ、「瘴気《しょうき》」、つまり悪い空気が原因だとする説が主流だった。しかしその数年前からスノウは、貧しい地域の汚物溜めや衛生設備の欠如、汚染された水が原因ではないかという新しい仮説を立てていた。

嘲りを浴びながらも、スノウはコレラが発生すると、各家庭の飲み水の出所を尋ねるためにその扉を叩いた。そうして収集されたデータが指し示していたのが、ソーホーのブロード・ストリートにあるポンプ井戸だった。当初は汚染水説に懐疑的だったヘンリー・ホワイトヘッド牧師が、そのポンプを使った人と使っていない人を調べたところ、それが事実だと確認できた。ホワイトヘッド牧師がポンプのハンドルを外して水の供給をストップすると、コレラは急速に下火になったという。[1] このように、感染した人たちからデータを収集すれば、病気の源を把握することができる――そうした確信が、公衆衛生の重要な学問である疫学の基礎にあるのだ。

†パンデミック監視とは何か

本書で扱うテーマはパンデミック監視である。では、この「パンデミック」と「監視」というそれぞれの言葉の意味、また二つ合わさったときの意味はどんなものか。これはたまたまなのだが、この二つの単語はどちらも定義が難しく、専門家のあいだでも見解が分かれている。まずパンデミック（pandemic）は大まかに、広範囲に広がって「すべての（pan）」「人々（demos）」を冒す病気のことを指し、一六六〇年代から pandemick という綴りで使われていた。一四世紀の黒死病ではアジアとヨーロッパで一億人以上が死亡した（数字には諸説ある）。「スペインかぜ」（スペインが流行源ではない）は一九一八年から二〇年にかけて五億人に感染し、数千万人の命を奪った。鉄道や蒸気船といった交通手段の発達と、第一次世界大戦後の兵員の移動もあいまって、このインフルエンザは世界中に広まった。新型コロナウイルスのパンデミックはしばしば「グローバル」という修飾語と一緒に語られるが、これは航空機やクルーズ船、経路の複雑な長距離輸送によって、地球上でウイルスが到達しない場所はほとんどないことを示している。

しかし、新型コロナウイルス感染症をはじめとする病気が「パンデミック（世界的大流行）」となる理由は何なのか。その爆発的な感染力か、感染の深刻さか、あるいはその両方か。もしかして他の特徴も関わっているのか。医学の専門家たちの意見も一致を見ずに議論が続いている。二〇〇九年にH1N1型インフルエンザ（豚インフルエンザ）が発生すると、『ジャーナル・オブ・インフェクシャス・ディジージズ』誌に掲載されたある論文は、さまざまな選択肢について論じたあと、「パンデミックを単純に大規模な流行と定義することは、理解の容易さと一貫性の点でこれ以上ないほど理に適っているかもしれない」と結論づけた。[2] ところがその同じ論文のなかで、パンデミックがいかに他の要因に、たとえば都市部の人口規模、交通手段のタイプとその利便性、医学的知識の状況、公衆衛生当局の行動、家畜の病気の役割などに関わり合っているかという指摘が多くなされている。これらの点はパンデミックの社会的、技術的、経済的、政治的側面を明確に指し示すものだ。

実のところ、「パンデミック」と「監視」を結びつける要因の一つは、パンデミックはどれほどの範囲に広まっても、その広がり方は均等にはほど遠いということだ。ギリシャ語の demos という単語の意味のニュアンスを見れば、エリート層と「庶民」または「群衆」との社会的分離が示されている。二〇二〇年代初頭のこの世界で、パンデミックにまったく無縁だという人はいないだろうが、少なくとも社会的条件として、人々が受ける影響の深刻度にはばらつきがあり、社会階級、ジェンダー、人種などの明確な社会的要因がからんでいることが多い。このことは監視という「解決策《ソリューション》」の登場でさらに顕著になった。

†監視の意味と目的

では、「監視《サーベイランス》」とは何を意味するのか。世界保健機関（WHO）によれば、公衆衛生に関連する監視とは、「公衆衛生上の行動の計画と実施、評価に不可欠な保健関連データを継続的、組織的に収集、分析、解釈すること」[3]だ。そして疾病の予防と管理を企図して行うものである。そのように理解されれば、公共の利益になることはあきらかだし、パンデミック、とくに世界的なパンデミックに立ち向かうための手段として優先されるべきだろう。しかしこれから見ていくが、あのWHOですら、こうした監視には社会的側面やその他の側面があることに触れ、監視のためのツールは中立的なものではなく、人権や市民的自由といったその他の優先事項に抵触するようなかたちで使用されるかもしれない、と警告している。

より一般的には、私たちが監視と聞いて思い浮かべるのは、なんらかの意図をもって集中的に、組織的かつ日常的に個人情報を観察し注視することだろう。この「個人情報」は今日ではデジタルデータとして複数のフォーマットで入手できるようになっているが、あるコンテクストのなかでは雪だるま式に膨れ上がっていく可能性がある。たとえば接触確認のデータは、スマートフォンに内蔵された位置追跡機能に頼っている。そしてその公衆衛生データへのアクセスを警察が手に入れたとしよう——これは実際にシンガポールなどいくつかの場所で起きていることだ。するとその同じデータが感染制御だけでなく、犯罪捜査にも使われることになる。

公衆衛生監視の場合、その目的はＷＨＯも言及しているとおり、疾病予防と制御だ。そこには必然的に、人々の制御も含まれてくる――誰が、どの場所にいるのか、誰と物理的に近い距離にあるのか。これを別の角度から考えるなら、監視とは人々を特定のかたちで可視化し、監視する側の意図する目的に沿って扱えるようなかたちで表現することだといえる。となれば、どういった種類のデータが収集されるのか、どのように分析されるのか、そこからどんな評価と判断が下されるのかが喫緊の問題となる――とくにそのデータがセンシティブな、健康や身体といった事柄に関わるものであれば。

　そして公衆衛生データはさまざまな観点から、たとえば相対年齢――高齢者は新型コロナウイルスに感染すると重症化したり死亡したりする割合が高い――、住んでいる場所――郵便番号は当人のライフスタイルの代替としてあらゆる警察、マーケティング担当者、医療の専門家らに使用される――などから人々を可視化し、検査やワクチン接種の対象を適切に定められるようにする。同じように公衆衛生機関は、誰が感染者と接触したか、またそうした人たちが自主的に自己隔離または入院をしているかどうかを知ろうとし、その目的のために監視が必要になる。

　もちろんこうしたスキームのいくつかは、接触確認や隔離のチェックに使われるのであれ、規模をぐっと大きくして、多数の人口のなかでウイルスがどう変異するかを見るのであれ、大きな論議を呼ぶことになった。当然ながら最も懸念されたのは、スマートフォンのアプリやスマートリストバンドなどのウェアラブル端末といった、個人に直接の影響が及ぶものだ。たとえば韓国では、ゲイバーが多いことで知られるソウルの一地区で新型コロナウイルス感染のクラスターが明るみに出たときに、ゲイの男性たちが大勢「アウティング」〔本人の同意なしに性的指向などを暴露すること〕された。またミネソタ州では二〇二〇年五月に法務当局者が、州は「ブラック・ライブズ・マター」の活動家どうしのつながりを特定するのに「接触確認」を利用していると申し立てた。[4] しかし、監視に用いられる技術がもたらす結果は、とくにその影響が直接的でないため、データを利用されている当人たちには見分けがつきにくいことが多い。

一例を挙げると、二〇二〇年二月に韓国の市民は、政府が新型コロナウイルスに感染した一人一人の行動を、身元は伏せて逐一ウェブサイトにテクストで公表していることを知った。たとえばこんな具合だ。「患者12番は、映画『KCIA　南山の部長たち』の午後五時三〇分の回でE13とE14の座席を予約していた。患者17番はソウルの豆腐料理店で食事をした」[5]。その目的が、まだ見つかっていない接触者を追跡、検査できるかどうか突き止めようとする試みであるのは確かだろう。だがこうしたデータは、悪意ある人間の手に渡れば、悪用されてもおかしくない。

さらに、文化的な差異も重要になる。たとえば人前でマスクを進んで着けるかどうかというのもそうだが、当局が一定の行動要件を課したり、個人情報を公開したりすることができると考えるかどうかといった点でも、そうした違いは見られる。そのとき人々がどう反応するか、たとえばマスクを着用しない人たち、感染元になったと思しき人たちに汚名を着せたり、はては攻撃したりするかといったことは、また別の話だ。

†監視資本主義というコンテクスト

H1N1のパンデミックはIT（情報技術）が支配する世界で起こったが、新型コロナウイルスのパンデミックは初めて監視資本主義[6]というコンテクストにおいて起きたものだった。これはきわめて重要なことだ。いわゆる「ビッグデータ」は二一世紀に入って間もないころ、分散コンピューティング、データ分析、統計学の発展に促されるかたちで登場した。しかしその商業的価値は、とくにプラットフォーム企業が急拡大し、グーグルに続いて大手ソーシャルメディア企業がつぎつぎ大成功するなかで、かつてないほど上昇した。

監視資本主義は、そうしたプラットフォーム企業から排出される、たとえばフェイスブックやウィーチャットを日常的に利用するユーザーが生み出す取るに足らないようなデータから、利益を得る方法を見つけ出した。しかし、これが重要なのだが、そうしたデータは、たとえば警察や治安機関によって再利用されうるのだ。各国政府もこのデータの利用法を見つけ、そうした大企業の支社を自国に誘致しようとした。その一例が、グーグルの親会社アルファベットがカナダのトロントに作ろうとしたスマートシティ「サイドウォーク・ラボ」だ。[7]「スマート」というのは、このプロジェクトのデータへの依存ぶりを指すもので、いたるところにセンサーを埋め込んだハイテクの「ユートピア」である。『アトランティック』誌によれば、「この都市は文字どおり、住民や訪問者のデータを収集するように作られている」[8]。ただし計画はコロナ禍の二〇二〇年五月に放棄された。

　プラットフォーム企業がさらに価値のある、そしてセンシティブなデータを得ようとして、また別の好機を求めていることもあきらかだ。たとえば、グーグル傘下の人工知能（ＡＩ）企業のディープマインドは、腎障害を抱える人たちにアラートを出すアプリ「ストリームズ」を開発した。ところが二〇一五年にロイヤル・フリー・ロンドンＮＨＳ財団トラストが、患者の身元を特定できる一六〇万件の記録をこのアプリに提供した。これは患者の守秘義務はいうに及ばず、英国の法律で正式に定められたデータ保護の四原則にも抵触する行為だ。[9]このことからもわかるように、プラットフォーム企業はこうしたセンシティブなデータがとにかくほしくてたまらない。そして一部の政府関連機関、この場合は英国の国民保健サービス（ＮＨＳ）だが、それが自分たちのシステム内にグーグルの子会社のようなものを、あきらかに予防措置もなしに進んで取り込もうとしているのだ。

パンデミックのかなり以前から、多くの国の政府が、自分たちにはデジタル時代に「必要」とされる技術を開発する力がないとわかっていた。それでIBMなどの大手や野心的なスタートアップ企業が先進技術を開発し、ついで各国政府と契約を結ぶことになった。こうしたモデルにアップルとグーグルが追随し、協力関係を結んだ。その中心となったのが、API（アプリケーション・プログラミング・インタフェース）という、二つのアプリケーションがたがいに「話す」ことを可能にする技術である。APIは接触確認を用途とするデジタル追跡アプリのいくつかで使用されていて、「プライバシー保護」のプロトコルには従っているが、だからといってグーグルのようなプラットフォーム企業が保健関連データにアクセスしないということにはならない。それは政府も同じだ。接触確認アプリは政府の公認によって、誰かの携帯端末からネットワーク経由でデータを送信させるための新たな方便となった。これはショシャナ・ズボフが示すとおり、プラットフォーム企業がその原材料とする、デバイスにかけられる時間が増えることを意味する。

†『ペスト』との共通点

今回のパンデミックは、（ビッグ）データが生活のさまざまな領域、さらには政府にまで「ソリューション」をもたらすものと高く評価されているコンテクストのなかで起こった。そのことはパンデミックの、健康および医療以外のコンテクストにおいてもあきらかだ。各所でロックダウンが行われ、企業も学校も店舗も、さらに診療所までリモートになった。オンラインで仕事や教育を続けるために、プラットフォーム企業への需要が急増した。「ズーム（Zoom）」などが大ブームとなり、二〇一九年一二月に一〇〇〇万人だった一日あたりユーザー数が二〇二〇年六月には三億人まで跳ね上がった。少なくとも電子的なつながりの機会を提供する、こうしたビデオ通話プラットフォームは、友人や家族から孤立しかねなかった何百万もの人々にはありがたい存在となった。ユーザーのデータから利益を得る監視資本主義は、パンデミックが起きた時点ですでに盛んになりつつあった。パンデミックとは多面的な現象なのだ。

これは新型コロナウイルスのパンデミックを理解するうえで重要なポイントだ。私は学部生だった一九六〇年代の後半に、アルベール・カミュの『ペスト』[10]を読んだ。一八四九年にアルジェリアのオランという街で実際に起こったコレラの流行を題材にして、一九四〇年代に書かれた小説だ。初めのうちはオランの医師ベルナール・リウーの視点から、この病気を食い止めるためにどんな方策がとられたかが克明に描かれる。リウーは自分の診療所のあるビルの守衛が発熱したときに、市当局に最初の警報を発した。ネズミがばたばたと街の路上で死に、市の職員がその死骸を片づけて燃やしていた——だがその行動自体が感染を広げていたのだ。この本を読んだ学生のころ、私はいつか同じようなことが世界的な規模で起こるのを見るようになるとは思いもしなかった。

しかし新型コロナウイルスの感染が拡大するなか、私は何を「見た」のか。私が見たのは、つい最近のSARS（重症急性呼吸器症候群）とH1N1型インフルエンザから学んだ公衆衛生上の対応、そして国ごとに違いのある現場での活動という既存のコンテクストのなかで、パンデミックがもたらす影響だった。現場での活動は、時の政府がプラットフォーム企業とどう連携するかに大きく左右される。これもまた監視資本主義だ。それでもカミュの物語は、今日にも当てはまるところが大きい。

新型コロナウイルス危機と同様に、小説のなかのオランでも、当局は事態の重大さをなかなか把握できず、どう対応するかで言い争っていた。公式発表では楽観的な見通しが伝えられ、市民たちは疫病をあまり深刻に受け止めずにいた。だが次第に、住人どうしが距離を置くように求められ、街の外への移動も制限されはじめた。病院のベッドが罹患者のために空けられたが、絶望的に数が足りないことがわかってきた。また、ようやく血清が作られても、供給量があまりに少なかった。要するに『ペスト』は、公衆衛生上の危機の時代における社会、政治、経済状況の小説であると同時に、現在にも通じるものなのだ。

†パンデミックの社会的側面

興味深いことに、これと似ていなくもない疫病についての記述もいくつかある。一九一八年の「スペインかぜ」を扱った、ローラ・スピニーの二〇一七年の著作『ペイルライダー』[11]は、二〇世紀最悪の惨禍をもたらした病を描いている。驚くほど未踏査のままの領域を見事に再現してみせたジャーナリズムの傑作だ。このインフルエンザがパンデミックとなった原因は、数十年後に遺伝子配列解析によってあきらかになった。突然変異を起こしたウイルスは鳥から人間に感染したものだが、そのことは一九九〇年代までわかっていなかったのだ。しかしここでも、社会的、地政学的コンテクストが重要になる。第一次世界大戦で疲弊した兵士たちが複数の戦線から帰還してきたが、物資の不足のために栄養不良が蔓延《まんえん》していた。そこへ致命的なインフルエンザの流行が重なり、世界各国で五〇〇〇万人以上が死亡し、想像を絶する苦難をもたらした。いくつかの地域では「防疫線《コルドン・サニテール》」が設置されて移動が制限されたが、それはたいていの人々には少なすぎ、また遅すぎた。そしてこの病に最も弱かったのは二〇―四〇歳の人たちだった。

きわめて感染力の強いウイルスが突発的に現れる現象は、保健医療の知識だけでは理解できないものだ。スピニーやカミュをはじめ、多くの作家によって描かれる歴史的、地理的、文化的コンテクストは、パンデミックが持つ複数の社会的側面の重要性を示している。そしてブレーメン大学のヌルハク・ポラトが主張するとおり、この二〇二〇年代初めという時期に新型ウイルスの及ぼす多種多様な影響を理解しようとするなら、デジタル技術の役割を検証しないわけにはいかない。そこで彼女は、「バイラル（viral）」という言葉に、表面的な意味と裏の意味の両方をこめて、こう言っている。「二一世紀のパンデミックは必ず、デジタルというコンテクストに埋め込まれている。ここにはまた、身体、家庭、道路、国境を越えて新型コロナウイルスの〝バイラルな足跡〟を追跡するデジタルな生体監視技術も含まれる」[12]。このあとは、感染拡大が始まってから急に使われるようになったウェアラブルトラッカー、スマートフォンアプリ、ドローン、非接触体温計などについて考えていこう。

だが議論をするにしても、そうしたデジタル技術が正式な監視システムに採用された場合に、そのシステムが監視対象である「私たち」をどれだけ締めつけるかといったことを強調するだけでは十分ではない。なぜなら、監視の対象である私たちは、監視の主体にもなるからだ。アプリやカメラ、ウェアラブル端末が私たちを「見張る」一方で、私たちはこっそりとおたがいを盗み見ている――ちゃんとマスクをしているか、歩道の上で二メートルの距離を保っているか、近隣の住人が家族以外の誰かと会っている様子はないかと。

さらに「無症状」「ワクチン接種済み」「濃厚接触者」といった分類のされ方は、私たちの自分自身への見方や、他の人たちへの見方、評価の仕方、交流の仕方、関係の測り方などに影響を及ぼすかもしれない。それは私たちが今日、新たな監視文化[13]をつくりあげているためだ。たとえば分類と、分類された人たちとの「ループ効果」である。[14]分類された当の人たちが他の人たちを区分するだけでなく、監視対象に分類されたことによって自分たちの活動を修正する可能性があるということだ。

†パンデミックとテクノソリューショニズム

これまでに提案されたパンデミックの対処法は、ほぼすべて対症療法的なものであって、その原因に取り組むものではない。ウイルスを封じ込めて制御しようとする、いわばバンドエイド的方法だ。この本を書いている時点では、大元の原因はまだ科学的に究明されていないので、バンドエイド的な手法になるのは無理もない。過去の疫病やパンデミックの歴史を調べれば、新たな流行が起こったときの公衆衛生当局の反応ぶりがうかがえる。一四世紀の黒死病では、地中海沿岸地方の人口が激減するほどの死者が出たが、そこからどれほど学べるかとなると、おそらくネガティブなものを除けば大した知識が得られるとも思えない。ずいぶん幅広く、ときにはエキゾチックな、漢方薬から瀉血《しゃけつ》、自虐行為にいたるまでのさまざまな治療法が提案されたが、医師たちが学んだのは横痃《おうげん》〔bubo ペストの一症状で、鼠径部《そけいぶ》のリンパ節にできる腫れ物〕を針で刺すことで、そこからこの病気にはBubonic Plague という別名がついた。

しかし一九世紀以降、とくに二〇世紀に起こった「スペインかぜ」などの疫病の場合には、患者の分離および隔離に加えて血清を求めるのが一般的なパターンとなった。みんなその時代に使えるもので対応していた。だから今日でも、私たちは使えるもので対応しているのだ。物理的な距離を保つことは、しばしば「ソーシャル・ディスタンシング」という誤解を招きがちな表現で呼ばれるが、マスクの着用や検疫の必要性とともに、ごく普通に見られるようになった。そしていまは、デジタルの機器やシステムがあふれる――グローバル企業が売り込みに成功した結果なのはいうまでもない――時代だからこそ、データおよびデータ分析、さらには機械学習や人工知能が、新型コロナ抑制の鍵となる装置だと見られているのだ。

こうして二一世紀初頭になると、「テクノソリューショニズム」[15]を求める圧力が強まり、パンデミックの混乱がさらにそれを後押しした。ロブ・キチンが指摘するように、そうした圧力にはテクノロジー企業による各国政府への熾烈《しれつ》なロビー活動、既存のテクノクラート的慣行、ハイテク・イノベーションを刺激したいという欲求などが含まれる。[16] このことはすでに、「9・11」と称される二〇〇一年のニューヨークとワシントンの同時多発テロのあと、「ソリューション」を見つけようとする試みが相次いだことに表れていた。あのときは各企業が急きょ自社ホームページを使い、遺族への哀悼の意を示すと同時に「対テロ」製品の広告を載せた。そして政府もそれに応じ、生体検査から人工知能までさまざまな手法を使ってテロを追跡し、阻止しようとした。[17]

同種の反応は、それと似た状況のあとにも起こっている。たとえば二〇〇八年にインドのムンバイで、タージマハル・パレス・ホテルや鉄道駅を中心に各所へのテロ攻撃があったが、その後もそうした反応が起こった。ほぼ間をおかず、海上のセキュリティとホテルのセキュリティがともに、スキャナーや船舶識別システム、漁民の生体認証といった新たな監視手段で強化され、大都市に新しく国家治安警備隊（NSG）が配備された。攻撃が海から行われたこと、当時はNSGの配備が遅れていてニューデリー近くにしか拠点がなかったことから、「必要」だとされたのだ。[18] 世界的なパンデミックの今日でも、こうしたソリューショニズム（解決主義）には人を引きつけてやまない力がある。

†ショック・ドクトリンという要因

なぜ、政府の安全保障機関や大規模な監視装置の設置が急がれるのか。理由の一つとして、緊急事態や危機のときに一般市民が政府による適切な対応を求めるのは当然だとはいえる。しかしナオミ・クラインは、また別の要因も働いていると指摘する。「ショック・ドクトリン」だ[19]。政府はことあるごとに、「自然の」災害と人間どうしの争いの両方を利用し、大きな変化をもたらして権力を強化しようとする、とクラインは言う。彼女がいま語っている「パンデミックのショック・ドクトリン」は、ニューヨーク州知事アンドリュー・クオモ（当時）が打ち出した、グーグルやマイクロソフトとともに「市民生活のあらゆる面にテクノロジーを恒常的に統合する」[20]新しいニューヨーク像にはっきりと見て取れる。監視資本主義が再び台頭しているのだ。

ただ、一つ強調しておきたいのだが、パンデミックへの対応にハイテク製品の居場所がないということではない。そうした対応では必ず、目的に適っているか、プライバシーや市民的自由といった保健関連以外の優先事項に準じているかをチェックすべきだということだ。どんなデジタル製品もできることには厳然たる限界があるし、人間の生活に利益だけでなく難題ももたらす。それどころか、そうした製品がパンデミックの問題を解決する見込みは少ないことも知っておくべきだろう。仮に役立つとしても、パンデミックの影響を緩和するいくつかの手法のうちで、その一つの道具にはなるかもしれないという程度だ。「解決策《ソリューション》」とは、ただ対症療法的なものでなく、原因自体により適切に対処するものだと考えられている。今回のパンデミックの「原因」はまだ不明なので、それに対処するという話はかなり疑わしい。しかし助けになりそうな要因の一つとして、新型コロナウイルス感染症が現代の多くの病気と同様に、人獣共通感染症だという事実がある。つまり動物から人間にウイルスが感染するということで、それが武漢で起こったと見られる。二〇二〇年に開催された国連生物多様性会議では、新型コロナウイルス感染症は生物種の減少と関連があり、おそらくそれによって促進されたであろうこと、また種の減少という事態はとりわけ森林破壊が関係していることが強く示唆された[21]。これはシステム的な問題だということだ。

新しいプラットフォームやデバイス、アプリの急速な普及とは対照的に、種の減少にどう対処するかは、長期的で規模の大きい、全地球的なプロジェクトとなる。9・11との比較を続ける向きもあるかもしれない。あのとき国家の安全保障のために導入されたハイテクの「ソリューション」もまた、二〇〇一年のテロの真の原因は何かという、より深い問題を無視するものだった。

†本書の論旨

この本の論旨はつぎの点にある。新型コロナウイルス感染症の産物であるテクノソリューショニズムが、人間の生活に悪影響を及ぼしがちなデジタルインフラを生み出しているということ、そしてそれがパンデミック以後の世界でも持続し、人権やデータ正義を危険にさらす見込みが高いということだ。二〇二〇年初めから出回っている提案や製品の多くは、高度に監視的である。これはつまり、そうした提案や製品がデータに依存しており、そうしたデータが人々を特定のかたちで可視化し、他の機関や当局に向けて表現し、またその表現に応じて扱われるようにするという意味だ[22]。

　だからこそ「パンデミック」と「監視」が結びつくのである。実際に、テクノソリューショニズムを背後から駆り立てている要因を見ると、「パンデミック監視」という言葉には少なくとも二つの意味が与えられるのではないかと思える。一つはあきらかにパンデミックに促された広範な監視の構想が存在することで、これは精査していく必要がある。もう一つは、そうしたかたちの監視がどんどん成長して変異を遂げ、「ウイルス的《バイラル》」といってもいいほどに拡散していることだ。いわば監視の世界的大流行である。

　私たちがパンデミック監視の世界で起きていることをどう解釈し、説明するかに関連して、もう一つ補足させてほしい。これまで言ってきたことには、すでにいくつかの視点がはっきりうかがえる。一つは人間と非人間の世界とのつながりに関わるもので、とくに私の念頭にあるのは動物から人間へのウイルスの移動のことだ。これは広くいえばパンデミック全般の結果と、狭くいえばパンデミック監視の結果とあきらかな関連がある。もう一つの視点はパンデミック監視の政治経済学に関連するもので、そのなかではどのような監視が行われるか、誰が利益を得て誰が悪影響を受けるかに、政府だけでなく企業も重要な役割を果たす。監視資本主義の役割を過小評価するべきではない[23]。

三つめの視点は「バイオポリティカル（生政治的）」と呼ばれ、パンデミック監視における権力の両義性を重視するものだ。ここでいう権力はきわめて抑圧的だが、同時に生産的でもある。パンデミック監視は生死を分ける決定につながることもある。誰が「ディスポーザブル（使い捨て可能）」なのか――カメルーンの哲学者アキーユ・ンベンベはそう問いかける[24]。しかし実際にどういった影響が生まれるかは、必ずしも前もってわかるわけではない。そして四つめの視点は「ソシオテクニカル（社会技術的）」、つまり社会的要因と技術的要因の相互作用に注目し、とくにアルゴリズムがどう作られるかという社会的に重要な問題と、それが次いで社会的状況に与える影響を見ていくものだ[25]。

このあとは、パンデミック監視の鍵となるいくつかのテーマを章ごとに紹介していこう。実のところ、これから紹介していくものはまちがいなく、私の人生における訓練の一環だったと思う。自分自身の調査から学んだことも多かったが、この仕事が二次資料と、専門的知見を持った人たちとの対話、さらに自ら現場に飛び込んでパンデミックを観察した結果に基づいたものだということは強調しておきたい。パンデミックはいまも継続中で、その特徴の一部と対応策は、時間とともに変化していく。固定されたもの、確固としたものは何もない。

著者である私の境遇についても記しておくべきだろう。私は固定給で働く白人男性で、居住している都市はこれまでのところ、パンデミックにはおおむね軽くなでられたという程度で、ひどい打撃を受けてはいない。これが特権的な地位であることは承知しているし、世界中の何億人もの人たち、とりわけ被植民地の人たちや非白人たち、抑圧された人たち、放棄された人たちの置かれた絶望的な境遇を直に経験せずに、これを書いているのも確かだ。それでもオーストラリアやブラジル、中国、グアテマラ、香港、インド、日本、イスラエル／パレスチナ、シンガポールのほか、もう少し近いカナダ国内やヨーロッパに住む同僚や友人たちと話したり、メールをやり取りしたことで、世界の他の人たちが経験している現実の一端を感じ取ることはできた。

✝本書のロードマップ

第2章の「感染症が監視を駆動する」で取り上げるのは、これが問題の核心だと多くの人たちが考えているもの、つまり「接触確認」だ。私たちはこうした接触確認を支援するための「デジタル位置追跡システム」により注目するが、今回のパンデミックではそれ以外のアプリやウェアラブル端末、データシステムも使われている。たとえばワクチンパスポート（呼び名はいろいろある）が発行され、有効なワクチンのいずれかを適切な回数分接種した人たちが入手することで旅行ができるようになっている。それから、電子ブレスレットからフィットビット（Fitbit）やアップルウォッチといった小型デバイスまでのさまざまなウェアラブル端末は、体温のほか一日あたりの歩数や睡眠時間などのデータが確認でき、まだ症状の出ていないウイルス感染を検出することも可能だという。[26]

そしてまた、あまり目にはつかない、だがきわめて重要度の高い種類のデジタル監視として、ヘルスデータ・ネットワークがある。これは特定の区域内で起こっていることをモデリングするために構築されるもので、そこに見られる傾向がマッピングされ、リソースが適切に割り振られる。大規模なデータベースを使用し、目的のために設定され、大量の数値計算を行ってウイルスの拡散を追跡、モニタリングし、その動きや影響を受けそうな人々の比率を予測する。こういったものが全部、新型コロナウイルスが確認されてから拡大してきたデジタル監視のための道具となっている。

だがこうした、直接の意味において「感染症が駆動する」監視というのは、全体像のうちの一部でしかない。パンデミックという現象は生活のあらゆる領域に触れ、そのなかにことごとく監視の種を蒔《ま》いていく。第3章の「ターゲットは家庭」では、「感染症が駆動する」範疇《はんちゅう》を超えた部分を論じてみよう。私がいるカナダのキングストンの住民たちは、「ステイホーム、ステイセーフ（家にいよう、安全でいよう）」と言われ、実際そのとおりにした。何もかもが驚異的な勢いで家庭へと向かい、すでにデジタル回線でつながっていたグローバル・ノース（北半球の先進国）の私たちの家は、かつてない監視の場となった。

私たちはいきなり切り離された人たちと連絡をとりあおうとし、そのためにデータに飢えたプラットフォーム企業の利用が急増した。さらには雇用や学校教育、家庭での買い物をモニタリングするといった他の監視のモードもあった。こうして家庭はいま、詮索の目から逃れ、迷惑な外部の機関を締め出せる場所というかつての概念とはまったくうらはらに、データの宝庫として狙い撃ちされるようになった。

第4章の「データはすべてを見るのか？」では、データの世界に分け入って、どこか抽象的な響きのあるこの代物が、なぜ今日ではそれほどの価値を持っているのかを突き止める。今回のパンデミックが起こったのは、データが生活のほぼあらゆる面で中心になっている時代だった。私たちはデータがどのように「見るための方法」として使われているかを検証していくが、それはまた「見ないための方法」でもあることを覚えておく必要がある。このコンテクストにおいてデータは、人々の生活が他人のために可視化されるのに使用される。疫学者たちが、誰が誰と一緒に、どこに、どれだけの時間いたのかを知りたがるのは当然の話で、収集し分析したデータによって各コミュニティにいる人たちの暮らしが「見える」ようになる。だが、そこから抜け落ちるものは何なのか。

監視する側の多く、とくにプラットフォーム企業が実際に何をしているかという透明性は高くないにもかかわらず、監視する側にとって私たちの暮らしぶりはおそろしく透明なものとなっている。一般の市民が自分たちのどんなデータが集められているのかを逐一知ることは不可能だし、とくにいまはパンデミックの関連で対処しなければならないことが他にいくらもある。問題なのはデータの「収集」だけではない。そのデータがアルゴリズムを使ってどう分析されるかも、結果にとってきわめて重要になる。そしてその結果には、分析にかけられたあとに何かしらの方法で扱われる、ということまで含まれる。中国では、色分けされた状況に応じてステイホームが義務づけられた場合には、顔認証カメラによる監視やアパートの窓の外を飛び回るドローンによってさらに可視化されることになる。

これらの問題はまちがいなくプライバシーにまつわる疑問を生じさせるもので、正面から向き合う必要がある。だがここではそれ以外にも、人々をどうやって異なるカテゴリーに分けるかということに関連した疑問がある。たとえば、どの年齢層の、どこに勤めている人たちのワクチン接種を優先するのか。第5章の「不利益とトリアージ」では、こうした疑問を検討しよう。病院の救急外来に行くと、「トリアージ」のプロセスを受けることになる。担当の看護師は手元にある情報に基づいて、どの患者がいちばん緊急に対応と治療を必要としているかを選別しなくてはならない。監視にはこういった機能がある――住民を異なるカテゴリーに分け、そのグループに応じて異なった対応をできるようにするということだ。[27]

新型コロナウイルス感染症は、一般の人々のなかに他と比べて弱い立場の人たちがいること、検査やワクチン接種を受けられる資格に不平等があることを露呈させただけではない。パンデミック監視はまた、一部の人たちがきわめて差別的な扱いを受けるといった処遇のばらつきにつながる。明確になった不平等、たとえば貧困者や移民労働者、可視的マイノリティ〔カナダでの分類で、先住民を除く非白色人種のこと〕のグループなどがこうむる不利益は、パンデミック監視によってさらに悪化することがある。市民的自由などの権利の問題は、国レベルでも世界レベルでも生じてくる。

こうした問題からは、権力についての疑問、権力がどう分配されるかについての疑問が提起される。第6章の「民主主義と権力」では、パンデミックを機に一気に増大した国家的監視について掘り下げていく。「ワクチンパスポート」の発行などがその好例だ。しかし私たちが向き合う必要があるのは、国家的監視はプライバシー擁護を唱える人たちにはずっと以前からの憂慮の種で、今回のパンデミックで初めて浮かび上がってきたものではないということだ。今日の監視は官民のパートナーシップのなかに形をとって現れている。たとえば「接触確認」アプリは、中国のファーウェイ製にしろアメリカのＩＢＭ製にしろ、ほぼすべてが政府と企業の共同の産物なのだ。

もちろん国家と市場はまだ区別がつけられるが、この両者も次第にからみ合ってきているし、その監視活動においても同様だ。プラットフォーム企業はパンデミックのあいだにデータ収集を強化している。こうした動きの多くは、公衆衛生上の取り組み、市民が規則を守っているかのモニタリングや確認、パンデミックに対応した商用サービスへの需要喚起などのために当然ながら急いで行われ、十分な準備ができていないこともあった。そればかりか、一時的な措置のはずだった監視の強化が——規制や法律の変更によって可能になった場合もある——社会の永続的な特徴になることを懸念する声が多い。

最終章の「希望への扉」では、それまでの話が一本にまとめられる。パンデミック監視のネガティブな面は避けられなくても、免れられないものではない。将来に起こるパンデミックのときは、またちがう事態が起こるかもしれない。そして実際に、今回の新型コロナウイルス感染症からはパンデミック以後の世界のための教訓が引き出せるだろう。主要な問題は監視用デバイスやアプリ、システムの内部にあるデ、ー、タ、の使用だ。「テクノソリユーショニズム」はまちがいなく大きな問題だ。単に結果を得るための方法という以上の意味がある。

本書はそれとはちがった方法を指し示す。まず技術からではなく、一般の人々と公衆衛生からスタートする。そしてパンデミック監視のいくつかの側面が不公正なものであるなら、別のアプローチをとって、「データ正義」を目指すことから始める。これは人々がどのように可視化され、表現され、扱われるかという部分での公平性を求めるもので、ひいては人類の繁栄と社会全体の共通善を可能にしようとする試みの一つだ。このアプローチはプライバシーという問題を超えて、別の選択肢を求めることをすべての人たちの課題とする。それは確かな希望に満ちた、誰もが通ることのできる扉なのだ。

第2章

感染症が監視を駆動する

Disease-Driven Surveillance

†接触者を突き止める

今回の感染症（COVID-19）がパンデミックの状況にあることをWHOが認める以前から、公衆衛生当局はどんな症例が「新型コロナウイルス（nCoV）感染症」とみなされるかという共通定義を定めていた。[1] 感染者数のカウントは「感染症に駆動される」監視の核となるもので、いまでは世界中の人たちが、ニュースメディアが毎日の感染者数を伝え、たがいに連動した各地域での変化の兆しを知らせることに慣れてしまっている。伝染病の場合、感染者数をカウントする作業のすぐあとには、誰がそうした感染者たちに接触してウイルスにさらされたかを突き止めようとする試みが行われる。この章ではおもに接触確認、そしてモバイル端末の接触確認アプリといった接触確認の技術を集中的に取り上げていこう。それによってパンデミック監視の重大な疑問点にスポットを当てることにもなる。

二〇二〇年四月、インド政府は「アローギャ・セツ」という「接触確認、症状マッピング、自己評価のためのツール」を導入した。これはオープンソースのデジタルサービスで、グーグルのアンドロイド、アップルのiOSといったモバイルOS上で動作するようになっている。ユーザーはこれを使って、自分がいつ新型コロナウイルス感染者の近くにいたかを知り、自分に起こりうる症状を評価することができる。このモバイルアプリは「ポケモンGO」を上回る勢いで、わずか四〇日間に一億回もダウンロードされた。そしてそれを上回る勢いで、このアプリに対する市民的自由や人権上の観点からの異議が相次いだ。その多くは、二〇〇九年に開始されたインドの国民識別番号制度「アドハー」のマイナス面を何年も前から説明しようとしてきた人たちからのものだった。

二〇二〇年五月、アローギャ・セツは違憲であり、プライバシーの侵害であると訴える請願書がケララ州高等裁判所に提出され、裁判所はこれを受理した。こうしたアプリが議論の的となるのは、その有効性だけでなく、センシティブな個人データを収集、保存、使用している点にある。請願書にはこうあった。このアプリは使用される前に、その用途を限定する、データを最小限にする、データを利用できるのは特定の部門のみにするといった措置が必要だ。このアプリには濫用を防ぐ法的枠組みと防御策が欠けている。[2] アローギャ・セツはサンスクリット語で「健康への架け橋」という意味だが、実際には政府による監視強化への架け橋であり、プライバシーを危険にさらすものだ。アローギャ・セツの持つ強制的な性格によって、政府はさらに権威主義的になるだろう。このように請願者たちは主張した。インドは民主主義体制としては唯一、接触確認アプリを義務づけた国である。[3]

しかしそれが誰のために必要なのかは、あまり明確ではなかった。

インドでもデジタルな接触確認は、他の多くの国と同じように、パンデミックに立ち向かうための有効な手段だと見られていた。だがその一方で、監視やプライバシーのことを警戒する声も数多くあがった。世界的に最も広く見られる技術的な取り組みとして、まず最初に、接触確認を支援するために作られたアプリの検証から取り掛かる。このアプリには二つのシステムがあるので、その比較、対比に焦点を当ててみよう。一つが中央集権的、強制的なシステムで、とくに挙げられるのは中国だ。もう一つが分散的、自発的なシステムで、アップルとグーグルの珍しい協力の産物がもとになっていることが多い。しかしここで本当に問われるべきなのは、この対照的とされる二つのシステムが実際にどれだけちがっているのかということだ。

接触確認は、パンデミックから数多く生まれた監視対応の一つでしかない。大規模な公衆衛生データモデリングや疫学的追跡も、ウイルスの地理的、社会的な経路を追跡することで、パンデミック時に医療従事者や施設をどのように配置するか、一般市民に適切な保護と行動についてどう指導するかの指針とするために行われるようになった。この章ではそうした話に加えて、具体的な新型コロナウイルス用のデバイスやシステム、たとえばドローンや顔認証技術、赤外線カメラ、ウェアラブル端末など、一部の国で大きな役割を果たしているものについても触れていく。こうしたデジタルな取り組みの多くは、資金や使用説明の面で官民のパートナーシップに頼っているが、そこからも監視と政府に対する疑問が生じてくる。そしてワクチンが普及し――これもとりわけ、世界で最も裕福な国からだが――また旅行ができるようになれば、免疫パスやらワクチンパスポートやらが登場する。このように感染症に駆動される監視は、パンデミックの各段階と多くの局面で拡大していく。

†接触確認アプリ、位置追跡アプリ

接触確認は、誰がウイルスにさらされた可能性があるかを見つけ出すだけでなく、伝染病の感染経路や感染速度を割り出すうえでも、多くの試験で実証された方法だ。共通のシナリオはこうなる。まず感染が判明した個々の人たちから話を聞いて、どこでウイルスにさらされたか（遡及）、その個人が感染期間中に誰に感染させた可能性があるかを判定する（追跡）。それによってクラスター感染に関わった全員を特定し、濃厚接触者たちを隔離するなどの手段を用いて感染の拡大を防ぐ。急速に進行する医療危機のさなかにあって、これは細心の注意を要し、ときには面倒で、場所によっては危険を伴いもするプロセスだ。それでもこの手作業でのやり方は、確かな価値を発揮しつづけている。

しかし二〇一四年に、アフリカのサハラ砂漠以南地域でエボラ出血熱が発生したとき、WHOはそうした作業を容易にする新しいデジタルシステムを導入した。携帯電話を活用することで、コンゴ民主共和国のゴマで働くリア・カニェレのようなヘルスワーカーが、感染地帯に暮らす住民たちの体温を測って都市の管理官へ速やかに伝えることができるようになり、その際に無用な不安を引き起こしたり妨害されたりすることも少なくなった。[4]

新型コロナウイルスのパンデミックが起きた時点で、世界にはすでにデジタル機器があふれているように見えた。だから多くの人たちがそうした機器、おもに携帯電話を、これはウイルス対策ツールにもなりそうだと考えたのも無理はない。デジタル位置追跡はきっと手動による接触確認という従来の公衆衛生上の手法の補助になる。そうした確信から、世界中で携帯電話の使用をパンデミック抑制の試みにうまく結びつける手段が大急ぎで求められた。

高層建築の立ち並ぶハイテク国家シンガポールがまず最初に、「トレーストゥギャザー(TraceTogether)」というアプリを投入した。公衆衛生当局のアドバイスで開発され、周知は急速に進んだ。最初の一〇日間で国民の二〇パーセント近くがこのアプリを自主的にインストールした。だがたちまち、アプリが携帯電話のバッテリーをひどく食うことがわかった。またインドやパキスタン、バングラデシュから移り住んだ労働者たちの大半がスマートフォンを持っていないために、このシステムの効果が薄れてしまうこと、[5]さらに警察がデータにアクセスできることも判明した。[6]

　経験したことのない未曾有の危機のなか、一般の人たちはなんとか一緒に生活しつづけるために、さまざまなことを進んで試そうとする。感染への恐怖が一般の善意と重なるのだ。けれども、年とった母親の様子を確認するためにバッテリーを節約しなくてはならなかったり、自分のアパートで清掃の仕事をしている親切なバングラデシュ人や、学校帰りの子どもを迎えにいくときに街の通りですれちがう建設作業員たちのことがひどく気にかかったりすると、アプリを使うのがいやになるかもしれない。日常的な文化がテクノロジーの受容に差をつくりだすのだ。

　アプリが「機能する」かどうかはその他多くの要因にも左右されるし、国と国とでも状況は変わってくる。参加するかどうかはたいてい、インドのような国ですら、最終的には「任意」だ。もし動き回りたいのなら、それは自己の責任においてとされ、通常なら接触確認も求められた。しかし技術的な部分でも、短期間で開発されたアプリはどれもそれぞれに差があり、そのことは効果にも影響した。

†官民のパートナーシップ

世界規模のパンデミックを初めて経験するなら、当然ながら真っ先に気にかかるのは自分自身の家族とコミュニティの健康状態であり、ひいては健康を維持してウイルスの拡散を抑えるために何ができるかということになる。「接触確認アプリ」はたしかに機能するかもしれない。だが今回のパンデミックは、デジタルというコンテクストのなかだけでなく、プラットフォーム企業が富とともに大きな権力を得ている世界で発生した。このことは、政府がそうした企業をなかなか抑え込めずにいることからもすでにあきらかだった――二〇一八年にフェイスブックのデータ利用のせいで民主的な選挙が危険にさらされた、ケンブリッジ・アナリティカ事件を考えてみるといい。[7] むしろ政府がプラットフォーム企業を積極的にパートナーとして引き入れようとしている節もある。政府とテクノロジー企業との論争は、監視とプライバシーの問題に重点が置かれる場合が多い。だがこの官民のパートナーシップは相互の利益を当てにしたものだ――大ざっぱにいうなら、各地の政府は経済的優位を、企業はより多くのデータへのアクセスを求めるのだ。

さらに他の要因も働いている。たとえば、一部のプラットフォーム企業がいくら「われわれの力は止めようがない」という印象を持たせようとしたところで、「デジタル」は自らを再生産できるわけではない。もう一つの要因はこうだ。第二次世界大戦以降、今日ある医療を形成するのに役立ったのは、皮肉にも軍事的なロジックだった。とくにグローバルな「脅威」が「敵意に満ちた」鎌首を持ち上げるときにはそれが当てはまる。「監視《サーベイランス》」という言葉を初めて医療に使用したのはアレクサンダー・ラングミュアという、一九四九年から米国疾病対策センター（CDC）での勤務を始めた人物だった。ラングミュアは戦時中に国防当局の生物兵器委員会にいた経験を活かし、疾病監視の枠組みを作って出資を呼びかけた。彼の監視の定義は、一九六三年のハーバード大学での講演であきらかにされている。

コンコーディア大学のマーティン・フレンチは、このことが「病気ばかりに焦点を当て、より幅広い公衆衛生上の決定要因を置き去りにする監視を生み出す」と言う[8]。こうした社会的要因には、所得、教育、物理的環境のほか、差別、レイシズム、歴史的トラウマといった経験も含まれる[9]。二〇世紀中の戦争だけでなく、9・11とその後の「対テロ戦争」もこのパターンを強化し、とくにアメリカでは、医療の供給にセキュリティを組み入れさせる方向に働いた。こうして病院や医療従事者は、パンデミックのような現象へのソリューションとして、技術とインフラへの新たな投資を「求める」ようになった[10]。これはおそらく、パンデミックでのヘルスデータへの取り組みが相対的に透明性を欠いていることの説明にも役立つだろう。[11]

†テクノロジー企業とのあるべき関係

新型コロナウイルス感染症によって、世界中の政府や公衆衛生当局はいきなり新たな状況に直面することになった。かつて例を見ない規模の、ちょうど一世紀前に恐ろしく深刻な事態を引き起こした「スペインかぜ」や、最近の中東呼吸器症候群（ＭＥＲＳ）、重症急性呼吸器症候群（ＳＡＲＳ）、Ｈ１Ｎ１型インフルエンザなどを上回る世界的パンデミックである。二〇二〇年一月三〇日にＷＨＯが「国際的に懸念される公衆衛生上の緊急事態」を宣言すると、各国政府が医療、保健分野の研究者および当局と協議するという、珍しくも称賛すべき活動が多く見られた。そして三週間後、イタリアで感染率と死亡者数の急増が見られ、その直後にブラジルで新型コロナウイルスによる最初の死亡者が出た。イタリアから帰国したばかりの人物だった。[12] その同時期、世界の新型コロナウイルス感染者の半数以上は、クルーズ船ダイヤモンド・プリンセス号に乗ったまま、日本の横浜で立ち往生していた。[13] シンガポールで政府技術庁と保健省が共同開発したアプリ「トレーストゥギャザー」が投入されたのは、そのわずか一か月後のことである。[14]

その後まもなく、シンガポールのようにアプリを独自開発できる政府の技術機関を持たない他の国では、テクノロジー企業との協力が始まった。中国ではアリペイとウィーチャットの共同によって、二〇二〇年二月末に感染リスクを三色で表すアプリの「健康コード」が誕生し、すべての市民が参加を求められた。このシステムはスマートフォンの持ち主に対して感染者と接触した可能性ありというアラートを出すとともに、あきらかに警察ともデータを共有していた[15]。とはいえ、こうしたデータ共有は一時期、私の地元であるオンタリオ州やカナダの他地域でも行われていたことだ[16]。

そうしたことも国家による、新たなレベルの自動化された監視の呼び水となったのか。それについてはあとで見ていこう。一方で欧米の大規模な取り組みは対照的に、グーグルとアップルが共同で提供したAPIをもとにしており、接触確認のために広い範囲での分散型の位置追跡が可能だった。これは二〇二〇年五月下旬、スイスで初めて試験的に導入された。こうした思いも寄らないパートナーシップがプライバシーと相互運用性に力を注ぎ、アプリの開発そのものは各地域の組織にまかされた。GAEN（グーグル／アップル接触通知システム）の場合、アラートに従う責任はユーザーが負い、個人データが公衆衛生当局に送られることはない。

GAENの評価は今後も長期にわたって続けられるだろうが、このシステムが登場したこと自体が数多くの大きな問題を提起している。なかでも基本的なのは、テクノロジー企業と政府の公衆衛生機関との関係はどうあるべきかということだ。オタワ大学のテレサ・スカッサが指摘するように、「最も難しい問題はプライバシーと信頼であり……それはアプリの設計と政府の選択に影響を及ぼした」[17]。グーグルとアップルのシステムは、ある点では公衆衛生への貢献は低い。理由としてはフォローアップ調査や病気のモデリングのためのデータがシステムに送られないといったことがあるが、それでもプライバシーを守ろうとする特徴がユーザーの信頼を高めることで、利用の増加に役立ったようには思われる。一般の市民が監視の問題をどう理解するかで違いが生まれるのだ。

あらゆるタイプの技術的「ソリューション」が提案されるだろうが、先進的なものほど人権やプライバシー、信頼をあまり維持しようとしなくなる傾向にある。そこでGAENはただの「接触」より「濃厚接触」に重点を置き、データ保存を分散化して、一四日後にはデータを削除することにした。GAENはまた、他のシステムと比べてアップルの端末との相性が良いため、一部の政府機関にはより魅力的に映る。とはいえ、とりわけ公衆衛生当局がより利用しやすいデータを望んでいるいまの状況で、GAENをもとにしたアプリの規範性の問題がどのように解決されるかは未知数のままだ。

†変容する監視

スマートフォンの魅力の一つは、その居所が「わかる」ことにある。スマホの現在位置がその端末の内部に記録されるため、どこへ移動しても追跡される。パンデミックの接触確認というのはたくさんの手作業を必要とする骨の折れるプロセスであり、デジタルな位置追跡を通じてそのプロセスを自動化するというアイデアは、公衆衛生当局にとって、とくに急拡大する感染力の強い病気を前にしたときには魅力的にちがいない。しかし考えられる一つの大きな難点は、スマートフォンが現代の監視システムの重要な要素になりうることだ。[18]接触確認および濃厚接触通知アプリは、すでにある監視要素の濃いデバイスにまた一つの層をつけ加えている。

監視というと、文字どおりに権威のある存在、たとえば警察や治安機関から見張られることだと理解される場合が多い。そのせいで建物や街灯の上に、あるいは職場や店舗、駅などに取り付けられたビデオカメラが二〇世紀における監視の典型的イメージとなった。しかし二一世紀の監視の「イメージ」としてずっとふさわしいのはスマートフォンだ。今日の監視はもう、カメラを使うような文字どおりのかたちではなく、おもにデータを通じて行われている。そして個人と監視する側をつなぐ重要なものは電話である――私がよくスマートフォンをPTD（個人追跡デバイス）と呼ぶのはそのためで、とくに世界の豊かな国々で多くの人々が身体、手、目の延長のようにポケットに入れて持ち運んでいるという理由が大きい。
前の章で私は、監視の定義としてトップダウン方式と呼べそうな表現を用いた。[19] しかしまた一方で、監視とは「個人データを、影響力の行使や権利の付与、管理のために収集し分析する慣行および経験」として考えられるとも言っている。[20] 今日、私たちはデータによって、あるいはデータ利用によって「見張られ」ている。そして次第に、自分の情報がすさまじい勢いでフェイスブック〔現・メタ〕やグーグルといったプラットフォーム企業に流れ込んでいることに気づきつつある。[21] パソコンやスマホの画面に表示されるバナー広告は、私たちが最近行った検索やインターネット活動を絶えず引き合いに出し、こちらを見張っていることを示している。ネットフリックスやアマゾンも、しばしば私たちの興味を反映した映画や本やその他の商品に注目させようとする。

かつては国家の安全保障か警察活動の領域と考えられていたものが、いまでは民間企業の手で、またいうまでもなく他の多くの政府機関で行われている。監視は事態の推移を追跡するために、たとえば医療などの分野でも行われていて、そのためにパンデミックの時期にさらなる混乱と論争を招くことになった。パンデミックの経過を調べようとするなら、国と国や都市と都市のあいだ、そして何よりも、人口が密集している都市の内部での移動を追跡することが有効になる。接触確認アプリなどのシステムは、一方にある感染症の広がりを示す数値と、もう一方にあるウイルスに感染した、もしくはその可能性のある現実の人たちとの隔たりを埋めるものなのだ。

韓国はいち早く接触確認アプリを採用した国だが、その基盤には二〇一五年に流行したMERSでの経験があった。その時期から当局が感染症の発生を追跡する目的で、クレジットカードや携帯電話、監視カメラのデータ使用を認める法律がすでに存在していた。しかし今回、疾病管理本部は、人々の行動に関して必要以上の情報が公開されないよう警告を発さざるを得なくなった。たとえばある人物と、その義理の妹の行動範囲が重なっていたことで、二人はレストランでデートをしていた、不倫をしていたと見当違いの非難を浴びるような事例があったのだ。[22]

†接触確認システムは有効だったのか?

接触確認という骨の折れるプロセスが最も効果をあげるのは、感染例がまだ少なく、誰でも検査を受けようと思えば受けられる状況下だ。しかし「そのためのアプリがある」ことが消費者たちに周知されている世界では、手作業のプロセスが自動化されるのは魅力的に感じられる。[23] 実際、多くの接触確認のスキームで、あなたは一五分にわたって感染者の二メートル以内にいた、などと教えてくるアプリが使用されている。たとえば、シンガポールの「トレーストゥギャザー」のシステムは、公衆衛生の基準を前面に押し出し、始まったときには期待されたものの、満足に機能するのに必要な六〇パーセントの利用率を達成できず、スーパーマーケットや職場での使用が要請されることになった。[24]

こうしたシステムに関しては、少なくとも三つの種類の質問が出てくるだろう。一つめはもちろん、どこまで機能するのかということだ。これはきわめて重要な問題だが、現実の公衆衛生上の有用性について審査が行われることはしばらくないだろう。そしてあきらかにデジタルな接触確認は、せいぜい他のタイプの接触確認を補助するものとして、それも検査やワクチンが普及しているかどうかといった要因との関連のなかで見られるぐらいだ。たとえばある研究は、中国、ドイツ、イタリア、シンガポール、韓国、アメリカと、中央集権型のシステムと分散型のシステムの両方をカバーするかたちで調査を行っている。[25]

この研究から慎重に導き出された結果は、報告の仕方の違い、さまざまな地理的、文化的な違いが結果に影響しかねないといった難点があることは認めつつも、接触確認アプリの有効性を基本的に楽観視するものだった。だがそれでも論文の著者たちがコメントできたのは、接触確認システムの活用と新型コロナウイルス感染の減少とには正の相関関係があるということだけで、因果関係は立証できなかった。他の研究にはそこまでポジティブでないものもある。そしてこの研究でさえ、分析結果は、市民的自由の問題からは逃れられないことを強調している。市民的自由にもたらされる害は、デジタル接触確認の受け入れがたい代償となるかもしれない。

デジタル接触確認が有効かどうかが重要なのはあきらかだが、その一方で二つめの疑問は、監視とプライバシー、人々の権利の問題に焦点を当てる。メイヌース大学のロブ・キチンは、接触確認アプリの用途が決められる前からすでに、このアプリは「市民的自由、統治性、市民権に重大な影響を及ぼす」と賢明な警告を発していた[26]。そしてキチンは、公衆衛生は市民的自由に優るという考えに反論した。第一の理由は、その技術が機能しないかもしれないためであり、第二の理由は、市民的自由を健康と引き換えにするのはテクノソリューショニズムの立場であるためだ。テクノソリューショニズムとは、頼りになるのは技術だけ、もしくは欠陥があっても技術はやはり助けになるという信念のことで、これではどちらにしろ技術を使わざるを得なくなってしまう。そして第三の理由として挙げているのが、技術と市民的自由のどちらにも有効な別の選択肢があるということだ。こうした問題については第6章でまた論じよう。

さらに、さまざまなシステムに含まれる中央集権化の度合いに関連した一連の疑問があり、そこからさらにどのような統治体制が出現するのかという疑問も出てくる。それはまた、監視の結果とウイルス抑制の効果という、先に触れた両方の問題に影響を及ぼす。これについてはこの章でくわしく説明していく。

中国の主要なシステムである「健康コード」は高度な中央集権型で、その対極にあるグーグルとアップルのAPI（GAEN）は分散型だ。この両者は、強制的な中央集権型のシステムと、自発的な分散型のシステムという基本的な対比の観点から説明できる。中国のシステム以外には韓国、イスラエル、カタールなどが中央集権型スキームなのに対し、分散型のGAENのシステムはパナマ、ポーランド、ポルトガルからスロベニア、南アフリカ、スペインまで、少なくとも五〇以上存在する。またオーストラリアやカナダのアルバータ州のように、ユーザーの同意が必要となる中央集権型システムというものもある。

†中央集権型の接触確認

おそらくパンデミックが始まったとされる当の中国では、事態は最初から速やかに進んだ。一月中旬という早い時期に、新型コロナウイルスに感染した女性Aが南京の公共交通機関を利用し、複数の列車やバスを乗り継いだため、その途上で他の人たちを病原体にさらした可能性が生じた。女性Aが移動にかけたのは、一日目は二時間以上、つぎの日はほぼ二時間だったが、広く行き渡った監視システムは女性Aがどこで電車やバスに乗り降りしたかを分刻みで追跡することができた。詳細はただちにソーシャルメディアに投稿され、南京市民は女性Aと同じ駅、列車、バスを利用していたら検査を受けるようにという警告を受けた。[27]

二月に入るとすぐに、接触確認アプリの「健康コード」が二〇〇超の都市で導入され、またたく間に広まっていった。どこかの店へ行ったときは、外でアプリを立ち上げ、QRコードをスキャンし、体温が測定されるのを待つ。[28] スマホの画面に緑のコードが出たら店に入ることができる。出るときも同じだ。緑のコードが黄色に変わっていたら、家で自主的に自己隔離をする必要がある。もし赤くなったら、監督下の隔離に入らなくてはならない。ドローン、監視カメラ、顔認証システム、電子決済の位置データ、熱探知カメラも検疫や自己隔離のチェックに使われる。「健康コード」は公共の場所や職場へ行こうとする人間すべてに義務づけられており、公共交通機関での移動、学校、レストラン、空港、ホテル、食料品店で緑のコードが求められる。

「健康コード」のシステムは、旅行、移動歴、危険な場所で過ごした時間、そして潜在感染者との接触に基づいて、ウイルス感染のリスクを評価するものだ。二〇二〇年一〇月までに少なくとも三〇〇の都市で使用され、九億回の送信があった。昆山杜克大学のファン・リャンによると、[29] このシステムは三つの要素をもとにしている。一つめは個人情報、つまり名前、ID番号、顔認証登録、そして熱や咳などの健康状態だが、この最後の項目は毎日更新しなければならない。二つめは、プラットフォーム企業のアリペイとウィーチャットが日々GPSを駆使して記録する「場所および時間」で、そこから各人が訪れる場所がどこまで危険か、どれだけの時間ウイルスにさらされそうかがチェックされる。三つめは、「健康コード」がユーザーのネットワークやオンライン取引をもとに、ウイルス保有者との接触の可能性を計算する。さらにもう一つの特徴は、南京での最初の事例でも見られたマッピングで、これはやはりプラットフォーム企業であるバイドゥに分担された。新型コロナウイルス感染症の地図には、中国の多くの都市で確認された感染例の位置と数が示されている。

中国はデジタル接触確認アプリの強制使用にかけては世界をリードしており、実際に多くの国よりずっと早くロックダウンの回数や死亡者数を減らすことができたし、他にもこうしたシステムに頼ろうとする国も出てきている。またこの点は言っておくべきだろうが、中国のシステムは接触確認だけにはまったくとどまらない。この国では政府と民間企業による監視がともに深く統合されて定着し、日常生活のなかに明白にうかがえるが、その監視技術の複雑な組み合わせのなかにそうしたシステムは存在しているのだ。

韓国もやはりデータ依存度の高い国で、早くから積極的な対応策をとっている。たとえば、携帯電話のアラート機能やソーシャルメディアへの投稿を使って、新型コロナウイルス感染が判明した人たちが訪れた場所を周知させてきた。また接触確認以上の疾病監視も行っていたが、そのために予想されたとおり、特定のグループや個人が汚名を着せられることになった。台湾と香港でも、GPSとWi-Fiを使って個々の感染者を追跡した。バーレーンとクウェートの中央集権型システムは感染者の位置を政府に知らせた。[30] イスラエルでは「ハマゲン」(「盾」の意)というアプリを出しただけでなく、緊急権法に基づいて治安諜報機関の「シンベト」を動員し、電話の使用をモニタリングさせた。パキスタンも自国の諜報機関を使い、反乱勢力の位置を特定する秘密の技術を用いて新型コロナウイルス感染者と接触者を追跡した。

†分散型の接触確認

デジタルな接触確認ツールはパンデミックの発生当初から検討されていたが、民主主義を重んじる論者たちは中央集権型の強制的なシステムを避けるべきだと強く主張した。政府による介入と、監視の「ファンクション・クリープ」、つまり監視の技術が本来作られたのとはちがう目的に使用される可能性を案じたのだ。

二〇二〇年六月にカナダ政府は、新型コロナウイルス陽性者の近くにいた人たちにアラートを出すスマートフォンアプリを支援していることを発表した。[31] この濃厚接触通知アプリを開発したのは、オタワを本拠とするeコマースプラットフォーム企業ショッピファイ(Shopify)傘下のグループで、他の五〇近い国・地域と同じように、グーグルとアップルが共同で提供するAPIを活用していた。データ漏洩や攻撃がとくに不安視されたため、ブラックベリー社がセキュリティの審査に当たり、やがて「COVIDアラート」として開始された。アプリの使用は任意で、役に立つかどうかはおおむねその利用率にかかっているが、未報告の感染者を拾えないのは相変わらずで、そのことは一部地域で重大な問題になっている。

連邦政府とオンタリオ州のプライバシー委員会は、このアプリに多少の懸念を示しはしたものの、条件つきで承認した。[32] カナダのシステムは匿名のアラートを発するもので、データはユーザーの電話端末内で分散され、一四日間だけ保存される。Bluetoothを使ったこのアプリは、当人が感染者の近くにいたということだけを伝え、その場所がどこだったかは教えない。こちらのほうがプライバシー保護には良いという意見が多数派だ。それよりは多少懐疑的な、デジタルの権利と自由を掲げるカナダの各NGOは、プライバシー委員会にはおおむね同調しつつも、いくつかの問題では判断を保留している。[33]

当然のことながら、カナダのシステムに対するこうした賛否入り混じった見解は、他のいくつかの国でもまったく同じように見られた。マサチューセッツ工科大学(MIT)の

「COVIDトレーシング・トラッカー」は、世界中の主要な接触確認システムの詳細を捉え、とくに市民的自由への悪影響の見地から一つ一つ採点している[34]。それによると、民主主義国家の政府は他の国々と比べ、多くの予防策を講じているという。だが、このMITのトラッカーが示していない点が一つある。つまり、ここで言われる「民主主義国家」が、本当に他の国より監視が少ないのかどうかということだ。そうした分析はどちらかといえば表面的なレベルにとどまっている。「欧米型」の分散化された任意の接触確認システムについては、基本的な疑問がまだ残っている。なかでも一番なのは、中国とGAENのシステムの重要な共通性に注目するものだ。つまり、どちらもプラットフォームに依存しているのである。

†プラットフォーム企業の問題

デジタルプラットフォームの役割は、中央集権型と分散型のどちらの接触確認でも決定的に重要だ。リャンも強調するように、中国のプラットフォームは国家と市民とのあいだに介在すると同時に、市民を常に可視化された状態に置くという機能も果たす。これは中国の場合にはより明確かつ必然的に起こることだが、ある意味では欧米の分散型システムにも部分的に当てはまる説明だ。中国では、政府は大手テクノロジー企業がセンシティブなデータを大量に収集することを認めていて、そのデータは警察との共有も可能とされる。[35]

これもリャンが指摘していることだが、中国のプラットフォーム企業は「データフローの中枢となる門番」である。アリペイとウィーチャットはともにユーザーの日々の活動を追跡し、その範囲はさらに広まりつつある。アリペイはまた、電子IDを供給することで各種政府サービスへのアクセスを入手し、ビッグデータ利用の技術サポートとデータソースを提供する。中国ではソーシャルメディアのほかに政府主導の社会的信用システムを通じて、人口分類やランク付けが絶えず行われている。「健康コード」はプラットフォームを援用した、市民の評価と格付けのもう一つのかたちだと見ることもできるだろう。普通の人たちは官民連携の活動の前でますます透明になり、逆に政府や企業のほうはほとんど不透明なままだ。

その一方で、カナダの例でも説明したように、GAENを取り入れた多くの国が自国のプラットフォームを活用し、自前の分散型のデジタル追跡システムを開発できた。しかしこれまで見てきたとおり、問題はきわめて複雑なために、ある国の接触確認／濃厚接触通知システムは完全な中央集権型だとか分散型だとか言うことはおろか、その両方の極のあいだのどこかに当てはまると言うことすら難しい。どの国についてもそれぞれの政治的、経済的、文化的コンテクストのなかで理解する必要がある。

†不透明なシステム

いつかこの大規模な世界的事業の経緯が書かれ、各国政府と企業の関係までもが重要なポイントとして論じられるときがくるかもしれない。もちろんこうした相互依存の関係は、戦後期の軍事的な起源もあり、また9・11でさらに勢いを得て、着実に強まりつつある。[36] しかし今回のパンデミックを機にプラットフォーム企業は、新型コロナウイルスの緩和と撃退に向けた世界的な努力に協力しようと、より大胆に申し出るようになった。こうした努力に関わっている個々の人たちの多くが公共心と共感にあふれていることは疑うべくもないが、ここで論じられるのはプラットフォーム企業としての活動である。

独自のアプリやGAENをもとにしたアプリは、「企業による接触確認」の提供だと考える人たちもいる。[37] なぜこんな言い方になるかというと、接触確認や濃厚接触通知という構想の陰にあるインフラのせいだ。これには個人が所有するアップルやアンドロイドの端末、および（iOSのような）プロプライエタリOSと（アンドロイドのような）オープンソースOS、データプランを提供する通信会社、そして「この情報生態系からデータを抽出し商業化するデータマイニング業者」までが含まれる。そして彼らは、こうした企業の活動が「差別的な設計とアルゴリズムによる抑圧」のために社会的不平等を助長していると考える。これらの企業が根本の部分で関与することが、公衆衛生という概念そのものへのあきらかな脅威をもたらすと懸念しているのだ。

実際のところ、フレンチらも指摘するように、英国でロイヤル・フリー・ロンドンNHS財団トラストから、患者個人の特定が可能なデータが同意なしにグーグルの子会社ディープマインドへ移転され、大騒動が持ち上がったのはつい二〇一五年のことだ。そのため二〇二〇年にはNHSのアプリに対し、データとプライバシーの管理がきわめて脆弱であるという疑念が表明されることになった。しかしさらに問題なのは、あらゆる企業のデータシステムを監督するのは、そうしたシステムの多くがまったく不透明なせいでほぼ不可能であるということだ。そしてブルックリン・ロースクールのフランク・パスクァーレ[38]らが言うように、システムがしばしば隠れたアルゴリズムに基づいているという意味において、これは「ブラックボックス」の問題にもなる。この点については第4章でくわしく論じよう。

だがその一方で、NHSの接触確認アプリがパンデミックの経過に明確な違いをもたらしたことも確かなようだ。複数の研究者によれば、数千人の死亡と数十万人の罹患を防ぐことができたという[39]。このアプリは英国の人口の二八パーセントに当たる一六五〇万人に「定期的に利用」されていた。これは、二〇二一年の前半に英国下院の決算委員会が発表した「測定可能な違いはなかった」という見解と相反するものだ。

以上の理由から接触確認アプリは、世界中でパンデミック監視をめぐる議論の核心となっている。そしてさらに広い視点から見れば、「新型コロナウイルスによるパンデミックのコンテクストから、アメリカと中国との継続的な競争関係がかたちづくられる」見込みは高い一方、[40]今回のパンデミックはデジタル接触確認など、現在続けられている公衆衛生上の対策を中央集権型にするか分散型にするかでどのように異なるメリットが存在するのかという、さらなる議論を引き起こすだろう。アメリカは人口一〇〇〇人あたりの死者数で見ると——どちらの国の数字も信頼できるとすれば——中国よりずっと悪い状態にあるばかりか、中国のデジタル公衆衛生対策は、ある意味できわめて厳格だとはいえ、多くの命を救いもした。そして本書を書いている時点で、現在の監視システムがパンデミック以後の時代にいつまで続くのかを知ることは不可能だ。

†ワクチンパスの登場

この章の主眼は接触確認と、その公衆衛生上の有効性をめぐる議論にスポットを当てることだ。あとのほうの章では、接触確認が監視や不平等、政府による統制の増加を助長しているという問題を掘り下げていく。しかし他にも監視用のアプリやデバイスが、パンデミックの拡大を抑えようとする努力の一環として使用されている。そこには以下のものも含まれてくる。隔離をチェックするためのドローンや監視カメラ、顔認証システム。「バイオボタン」や、同様の目的を持ったスマートリストバンドなどのウェアラブル端末――バイオボタンはもともと、オークランド大学で体温などの体調確認が義務づけられた[41]ことへの抗議があったあとで導入された。そしてもちろん、ワクチンを接種した人たちの旅行を許可するワクチンパスもそうだ。

ワクチンパスが登場しはじめたのは、ワクチン自体がやっと開発されてからのことである。パンデミックのせいで誰もが、旅に出たい、映画館やジムや職場へ行きたいといった欲求を抑えつけられていたのだから、こうしたものが出てくるのは意外な話ではない。「ワクチンパスポート」と呼ばれることもあり、そちらの名前では旅行との関連がより明確になるが、二〇二一年三月にはすでに使用が始まっていた。たとえばイスラエルでは、ワクチン接種が全国民の五〇パーセントを超えると、いち早く「グリーンパス」を導入した。このパスを携帯していれば、ジムや劇場、レストランに入ることができる。中国とＥＵもかなり早い段階で同様のパスを発行した。ＩＢＭはパスの開発を確約しているし、ＮＰＯの「コモンズ・プロジェクト」はワクチン接種を証明するシステムの開発に取り組んでいる。ＩＡＴＡ（国際航空運送協会）からもスマートフォンアプリの提供が確約されている。ワクチンパスポートを必要とするのは何をおいても旅行業界だが、そんなパスポートが作られるのなら国際的な承認が必要になるだろう。

とはいえ、こうしたパスにはマイナス面もないわけではない。各国の政府がパスを使いはじめると、そのパスの発行の仕方が世界中でばらばらなため、感染拡大を助長する恐れがある。世界のワクチン普及を示す地図を見れば、途上国のワクチン配布がどれほど不十分かがすぐにわかる。それにパスが効果的に機能するには国際的な合意が必要だろうが、ワクチンの種類の多さや、すべての国で使用が承認されているわけではないことを考えると、それが可能だとは考えづらい。たとえば、八六か国で使用されているアストラゼネカ社製のワクチンは、アメリカではまだ未承認だ。中国のワクチンパスポート計画では、中国製のワクチンを接種した人にしか入国が認められないという。[42]

ワクチンパスには、そのパスの根拠となるデータが真正なものなのか、確実なデータ保護のためにどんな措置がとられているのかといった疑問がつきまとう。また人種で分けられたグループによって、たとえばアメリカなら黒人やラティーノで、ワクチン接種の進み具合にばらつきがある場合には、すでに存在する不平等がさらに拡大することになるだろう。国際的に認められるワクチンパスポートは一朝一夕につくりだせるものではない。実際に、いま世界中で使われている旅券《パスポート》のシステムができあがるには五〇年かかったのだ。

携帯電話を用いるデジタルなシステムである以上、解決すべきデータの機密性とセキュリティの問題は多く、リスクも高いものになる[43]。

†公衆衛生情報システム

しかし、新型コロナウイルスのパンデミックで用いられる特定のデジタル技術について議論するのと、より大きなスケールでどういった調整やデータ共有が行われるのかを考えるのは、また別問題だ。公衆衛生当局が適切な政策を策定しようとするなら、人口全体のレベルで意味のある情報をインプットしなくてはならない。これらのヘルスアプリやデバイスが信頼できるデータをもたらすのであれば、公共医療システム全体とつながったときにきわめて有効に働くはずだ[44]。こうしたシステムは長い年月のあいだに、医学、疫学の知識が発展するにつれてたびたび方向性を変えたり、機能をつけ加えたりしながら拡大してきた。興味深いのは、このシステムがその性格を変えるのに、また別の分野——国家安全保障という分野——の大規模なデータ運用から学んだものがきっかけになった例があることだろう[45]。

パンデミックに立ち向かえるだけの公衆衛生上の対応を行うには、信頼性が高く最新の、確固とした情報が必要になる。公衆衛生の情報管理には、初期のデータ収集から始まって、データを検証し分析する、情報を公衆衛生の専門家たちに伝える、といったたくさんの段階がある。今回のパンデミックでは大勢の人たちが、自分の地域の公衆衛生統計の表を毎日のようにチェックしていた。そうして多くの国の一般市民が「モデリング」の重要性を知るようになった。モデリングとはヘルスデータ、地理データなどの各種データを用いてウイルスの拡散を分析し、その動きを予測することだ。

公衆衛生データがパンデミックの実態を把握する新たな手段に利用されているなかで、モデリングは新型コロナウイルス感染症の主要な監視活動となった。そしてここでもまた、政府に支援された公衆衛生システムは、データの分析、解釈では民間企業と官民パートナーシップに大きく依存している。そのためにあらゆるレベルで重要な問題が持ち上がってくる――どんなデータが収集されているのか、どう整理されているのか、分析のために開発されたアルゴリズムはどうなのか、そのデータが誰によってどのように使用されているのか。こうした理由から、人種に基づいたデータの使用はあきらかに物議をかもすようになるのだ。

たとえば英国では、NHSがパンデミック用に開発された公衆衛生プラットフォームの「NHSX」を急ぎ採用したことで、管理側が人員、設備、資源の配分に関して、情報に裏づけられた効果的な意思決定を行えるようになった。[46] NHSXに協力しているのはマイクロソフト、パランティア、アマゾン・ウェブ・サービス（ＡＷＳ）、ＡＩを専門とするファカルティ、グーグルといった企業だ。この官民のパートナーシップに加わっているのは名の知れた、一般に受けの良い企業だけではない。パランティアなどはＣＩＡとの関係、トランプ政権下での移民取り締まり、予測警備（ＡＩの予測に従って警官が取り締まりをすること）などで評判を落としている。[47] Ｊ・Ｒ・Ｒ・トールキンの『指輪物語』に出てくる「見る石」の名にちなんだシリコンバレーの企業、パランティアは、パンデミックに巻き込まれたいくつかの国と契約を結んだが、[48] その存在は予想されたとおり、各方面から問題視されている。

中国でもパンデミック対応にきわめて大規模なデータプラットフォームをいくつか運用していて、どれも感染拡大の予測や追跡、計画立案には大いに効果を発揮している。ビッグデータ分析の活用がパンデミックの抑制に役立っていると評価する報告もあるが、そのなかですら、データの質やデータ保護などのいくつかのレベルで問題があることは認めている。データの質に関しては、とくにデータの基準が一定でないために、迅速な対応が求められる状況下で時宜を得ない報告が届くことになった。データ保護に関しては、システムのプライバシー保護が十分でなく、「未公表のコンプライアンス・リスク」があると示されている。また、武漢の住人が街を出て故郷の村を訪れたことがネット上でさらされ、不当ないやがらせや恫喝、身体的な威嚇を受けていることも指摘された[49]。

さらに広くいえば、パンデミックのために作られた公衆衛生システムは、政府のすることが正しいと信頼できるのかという基本的な問題を目の前に突きつけてくる。政府機関に接触確認アプリ用のインフラを提供したグーグルとアップルは、まだ自分たちの作るものにルールを設けている[50]。政府はずっと以前からヘルスデータのほか、人口に関する統計データにもアクセスしてきた。だが、いまでは多くのプラットフォームに日常的に利用されている位置情報についてはどうなのか。政府は公衆衛生上の危機のさなかには、このようにプライベートな、また社会的にセンシティブなデータを利用してもいいのだろうか。こうした疑問は、とくに監視が急増している時期においては、きわめて重大なものだ[51]。

†監視の高まり

監視はゆるやかに、着実に、気づかないうちに強まっていくこともあれば、何かの出来事がきっかけで急激に増大することもある[52]。二〇二〇年代初頭の新型コロナウイルスの感染拡大は、いまだかつてない監視の増大の引き金となった。この突然の監視の高まりは洪水にも似て、急速かつ不意に襲いかかり、パンデミックそのものと同じように社会全体にあふれ返る。ここ数十年、データが各組織のなかだけでなく組織どうしをつないで流れる可能性が増すことで、その流動性は促進されてきた。[53] 海底ケーブルや地下ケーブルを使用するインターネットは、個人の機器からアクセスされることで、この流れを世界規模に――地球自体への悪影響を考えれば、惑星規模にまで――拡大している。[54] これは少なからず、データフローの多くを生み出すプラットフォームの力によるものだ。

これまで挙げてきた例が示すように、今回のパンデミックは単に医療や衛生上の事態というのにとどまらず、社会、経済、また政治にも深く関わる事態なのだ。フランスの哲学者ミシェル・フーコーは著書『監獄の誕生』のなかで、一八世紀の疫病への対応と、より規律訓練を求める政府の台頭とを結びつけたことで知られる。[55] その後フーコーは、ジェレミー・ベンサムが考案した「パノプティコン」という「すべてを見る」刑務所の設計について論じた。『エコノミスト』誌はパンデミック初期の時点でこれと同じことを案じて、「コロノプティコン」が出現するのではないか、パンデミック監視が「すべてを見る」ものになるかもしれない、と警告している。[56] ベンサムの囚人たちは、権威を恐れて自らを律することを想定されていたといえるだろう。コロノプティコンでは、多くの人たちが病や死を恐れて自らを律するのだ。

しかしパンデミック監視を探究するうえで、その視点が唯一の、あるいは最良のものなのだろうか。フーコーが最初に監視を理解しようとした例は、刑務所ではなく、ペストに見舞われた都市だった。ウォーリック大学のスチュアート・エルドンは、これがどうしてパノプティコン以上に今日の監視社会の典型となるのかを示している[57]。実際にフーコーの説明では、「この（ペストの都市の）監視のもとになっているのは、絶え間のない記載だ。総代から代官への報告、代官から判事あるいは市長への報告である」[58]。これをデジタルに置き換えて読み返せば、私がこの本に書いていることと非常によく似た印象になる。パンデミックが監視をまったく新たな局面へと押しやっているのは確かだが、その性格はまだ完全にあきらかになってはいない。

それでも、いくらか形をとろうとしていることがある。「感染症が監視を駆動する」という認識は、公衆衛生監視《サーベイランス》がもともと安全保障を志向するものだという観点から考えると、また新たな意味を帯びてくる。感染したり苦しんだりするのは人間なのに、公衆衛生監視が対象としているのはあくまで病気である。これは前にも触れたように、より広い意味での健康の社会的決定要因が、監視を先導する者たちには見えなくなっているということなのかもしれない。

これから見ていくように、このことは以下の結果につながってくる。つまりパンデミック監視は、実際にパンデミックの影響を受けたさまざまなグループが物質面でそれぞれに対照的な状況にあることに気づかないだろうし、さらには監視そのものの副産物としてそうした不平等な状態が現実に強化されているという可能性にはなおのこと思いいたらないだろう。言い換えるなら、公衆衛生の名の下に行動する者たちはパンデミック対応における不平等を見落としかねないし、その監視がまた新たなかたちの不公平な扱いを生み出しているのかもしれないということだ。このテーマについては第4章と第5章で取り上げる。

しかし、実際に感染して直接の影響を受けたのでなければ、大多数の人々のパンデミック体験とは、おもにロックダウンや商店の閉鎖であり、加えていうなら中流の人たちにとっては、家で過ごす時間が長くなることだった。これらは私たちの「通常の」活動や行動を制限し、いろいろな失望や不満を引き起こすだけにとどまらず、パンデミック監視をさらに増大させるための手段ともなるのだ。社会的状況としてのパンデミックは、ときにはまったく新たなかたちで、監視を家庭へと持ち込んでくる。とくに家で仕事や買い物や勉強をしたり、娯楽を求めたりすることは、雇用主、商店、学校、プラットフォーム企業による複数のモニタリングに対してデジタルな扉を開け放つことになる。これについては次章でくわしく見ていこう。

第3章

ターゲットは家庭

Domestic Targets

†「ステイホーム、ステイセーフ」

私の住む街では、道行くバスの前面の明るく光る表示にも、沿道のたくさんの臨時標識にも、「ステイホーム、ステイセーフ」の文字がある。みんな家へ帰るように、家にとどまって安全でいるようにと急き立てられ、くり返し促される。大多数の人々がその呼びかけを心にとめる。そして現実に、世界中で途方もない数の人間が可能なかぎり家にとどまった。医療従事者やその他のエッセンシャルワーカー、商店主などは別にしても、多くはパンデミックを他のどこよりも――通常ではありえないかたちで――家庭のなかで経験した。実際に公衆衛生上の裁定としては、ステイホームが悲惨な感染を抑え込むうえで最良の手段であることが普遍的に証明されている。

しかし「ステイセーフ」――安全でいよう、とは？　まあたしかに、感染の回避という観点からは、家の壁に囲まれていたほうが安全なことはまちがいない。しかしドアの向こうにはまた異なるレベルの安全ならざる状況も存在する。家庭内暴力、メンタルヘルスの悪化といった社会問題が、家庭という「避難所」のなかで起こったのだ。ところがその空間には、さらにずっと静かな侵入者も忍び込んできていた。監視である。もちろんこれは目新しい話ではない。裕福な国々では、一九九〇年代にジオデモグラフィック・マーケティング〔地理的情報と人口統計情報を組み合わせて活用するマーケティング〕が台頭して以来、家庭という領域がとくに広告主やインフルエンサーからターゲットにされてきた。しかしパンデミックとともに、雇用主や企業、学校といった「外部」の関係の多くが「内部」のものになった。監視がすさまじい勢いで家に入り込んできたのだ。

そうした監視のなかには、公衆衛生に直接関わってくるものもあった。たとえば子どもが熱を出したり咳をしたりするたびに、親はあれこれ算段してウイルス検査を受けさせる務めを果たさなければならなかった。自宅暮らしの高齢者たちはしばしば慣れ親しんだかたちでの仲間づきあいを奪われたし、もちろん——もっと若い世代も同じように——しじゅう変化する新しい接触のルールに戸惑っていた。家に入れるのは同じ世帯のグループに限られ、それ以外の人間と接するのは通常の「バブル」内に限られた。そして家のなかでも、配管の修理やインターネット接続の調整に来た人などと接するときには、たがいに距離をとったりマスクや手指の消毒剤を使ったりといった特別なリスク軽減手段が必要になった。どれもこの状況下では理解できることだが、多くの人にしてみれば「通常の」家庭生活からは奇妙に外れた状態だった。

職場や学校、店舗だけでなく、映画館や劇場、境界や礼拝所、スポーツ施設、コミュニティセンター、ジムなども閉鎖され、生活のさまざまな側面がどんどん家庭に集約されていった。また会議システムの「ズーム」が大きくクローズアップされ、他の数多いビデオ通話プラットフォームとともに家族や友人と対面するための代替手段を提供し、一人暮らしの人たち、放棄された人たちの貴重なライフラインとなった。そしてそのすべてに監視がついてきた。公の世界がぎゅっと凝縮して私の世界に入り込み、それぞれの独特な優先順位、さらに多くのパスワード、要請、チェック、ルール、期待をもたらした。とくに家庭は、余暇の楽しみはもちろんのこと、仕事や授業、買い物まで行う場所になった。

†増大する家庭内監視

フーコーは一七世紀に疫病のペストが流行した際の緊急措置を検討し、これは「完璧に統治された都市」という歪んだユートピアであると表現した。「ペストに見舞われた町は、全体にわたって階層化、監視、観察、文書が行き渡り――あらゆる個人の体に明確にのしかかる広範な権力の機能によって、町は身動きがとれなくなっている」[1]。フーコーが描き出すのは、普段どおりの活動が制限された街の様子だ。「誰もが屋内にとどまるように命じられた……細かく区分され、動きのない、凍りついた空間。個人個人がそれぞれの場所に固定され……検査が絶え間なく機能している」[2]。

しかし新型コロナウイルス感染症という「疫病」では、デジタル技術によって、フーコーの言う「検査官」「民兵」「警備員」[3]の現代版の多くが家庭のなかにまで入り込んできている。二〇世紀には、家庭は国家といえども侵してはならない空間であると宣言されていた。実際に一九四八年の世界人権宣言では、「何人も、自己の私事、家族、家庭若しくは通信に対して、ほしいままに干渉され……ることはない」と明言されている[4]。家庭内暴力が後を絶たないいま、こうした権利がどこまで認められるべきなのか、というフェミニストたちの疑問はきわめて重要で、かつ筋の通ったものだ。しかし政府機関が、また現在では独自の選別および処理能力を持った企業体が、あきらかに罰則もなく各家庭に「入り込める」ことは、人権無視の疑いを生じさせるのではないか。

パンデミックと、それに伴う新たなかたちの監視の台頭は、公衆衛生上の危機の宣言がもたらした、かつてない新たな社会的、文化的状況だ。あのペストの時期と同じタイプの制約が設けられ、移動が制限されたり、家の外だけでなく中での生活活動に焦点が置かれるだけではない。家庭内の生活活動そのものが外部の組織によって遠くからモニタリングされるのだ。さらに病気の症状を自分で監視すること、決められたルールを守っているかを相互に監視することが、多くの場で奨励される。また、こうした活動はデジタル化され、スマートフォンやそれに相当する機器がめいめいの機能を果たすための手段となっている。

　パンデミック以前の「通常」と考えられてきた状況では、会社や学校にいるかぎり、おそらくＩＤを携帯していて、それで自分の活動が追跡されることもありうるかもしれないと思えた。ところがいまは自宅でそうした活動をすると、自分ばかりか家庭内の空間を共有している誰でも、他人に声を聞かれたり、姿を見られたりしかねないのだ。これは「巻き添え捕捉」と呼ばれる。子どもやペットがよく画面に写り込んだりするのがそれだ。最近ではカナダのある国会議員が、ジョギング後の着替えで裸になった姿が画面に映っているのに気づき、ばつの悪い思いをした。[5] もちろん、アマゾンの「アレクサ（Alexa）」のようなデジタルアシスタントを使っている人たちにも、「彼女」が本当に「何を見ているか」はわかりはしない。しかしこれらは映像に限っての話だ。いまでは家庭からありとあらゆるデータが日常的に吸い上げられており、しかもそれはただの利便性からではなく、必要があって行われているのだ。

　ここで強調しておきたいのは、家庭内の監視は新しいものではないということである。とくに裕福な国では、子ども部屋用カメラからアルツハイマー病に冒された高齢者の追跡デバイスまで、またアレクサのようなデジタルアシスタントから掃除機ルンバのような「スマート」家電まで、家庭内監視はパンデミック以前から行われていた。ここでフォーカスしたいのは、パンデミックが発生してからの幾何級数的拡大だ。パンデミックのあいだに家庭内の監視のレベルと範囲は大幅に増大した。このパンデミックの時期、自宅のプライバシーは家庭へのターゲティングによって「書き直され」[6]つつある。在宅でのリモートワーク、オンラインショッピング、オンライン学習はその側面のうちの三つでしかない。

†「仕事場」のモニタリング

製品レビューサイト「ワイヤカッター」によると、パンデミック発生以降、アメリカでリモートワークをモニタリングする、いわゆる「ボスウェア」のシステムを管理側が使用する割合は、一〇パーセントから三〇パーセント以上へ増加した。この傾向はまちがいなく、パンデミックが長引くほどさらに持続するだろう。これは勤務状況を電子的にチェックするスラック（Slack）、グーグル・ワークスペース、マイクロソフト・チームズ（Microsoft Teams）などのよく知られたソフトウェアの「通常の」使用を超えるものだ。さらにパンデミックには当たらない時期でも、プロドスコア（Prodoscore）のようなサードパーティのシステムを同じ目的で使用している雇用主がいる。プロドスコアは「各従業員の活動を追跡し、その活動レベルに基づいた生産性スコアを算出する」[7]。

スニーク（Sneek）という会社は——しかしなぜこんな名前の会社の製品を使おうとい

う気になるのだろうか〔同じ発音のsneakは、こっそり出入りするという意味〕――仕事中の従業員を見張るためのシステムを販売している。ビデオ会議ツールの「スニーク」は、デフォルトで常にオンの状態にあり、ウェブカメラで一―五分ごとに従業員の写真を撮る。誰も会話をしていない「ズーム」の画面のようなものだ。表向きの目的はオフィス文化の「改善」でも、もちろんいつでも管理側が従業員のチェックに使うことができる。これを「背筋がぞっとする」と評した人もいるが、むべなるかなだ。[8]

パンデミックのあいだ、医療従事者や公衆衛生関係者の他にも多くの人たち、たとえば倉庫作業員などは普段どおりの仕事場で働くことを余儀なくされた。なかには自宅といつもの仕事場の両方というハイブリッドな状況で働きつづける人たちもいる。また一方で、宅配業の配達員などは、仕事のために移動する時間がぐんと増えた。このいずれの場合でも、さまざまなかたちで増えた「仕事場」を雇用者側が把握しようとするために、監視の度が強まっていることがほとんどだ。そのうえ雇用者側が公衆衛生当局の業務を肩代わりしはじめると、監視の種類がさらに増えて、衛生関連のデータ収集まで含むようになっている。雇用者側が従業員に接触確認アプリを使うように、追跡のためにビデオやキーレスエントリーを受け入れるように、ウェアラブル端末を携帯するように求めたりもするのだ。[9]

やはり強調しておかなくてはならないのだが、仕事場の監視も新しいものではない。[10] むしろ監視の形態としては最も古くからある一つで、資本主義の発展とともに急速に目立つようになった。カール・マルクスは、初期の資本主義の仕事場において「監督官」が果たす重要な役割のことを記している。[11] 職に就いたことがある人なら誰でも、雇用者側がこちらの行動をつねに把握していたがることはわかるだろう。それにはさまざまな手段がある。たとえば私の勤める大学の学生たちは、自分が受講する課程を評価するプロセスに参加していて、これには教員の授業ぶりへの感想も含まれる。この感想は学科長から学部長へ提出される報告書に添付され、「成績」に基づく昇給から昇進の見込みにいたるまであらゆるものに影響を与える。教員側も自分で年に一度の報告書を作成しなければならない。

こうした場合には、監視があることは従業員の側もあきらかに知っているし、規則に則って行われるのであれば、こうした手続きは許容されるという組合の合意もある。ただし二〇世紀の末ごろから電子的モニタリングの手法が大きく向上したことで、さまざまなソフトウェアツールが生まれ、こっそりと許可なく悪用することも容易になった。たとえば、従業員についてのデータがたやすく収集できる。電子メールやインターネット使用がしばしばモニタリングされ、従業員の居場所が追跡される。生体認証や、ときにはより密かなかたちの監視が、先ほど私自身の例で説明した自己規制と年一度の報告書のような、より社会的なタイプの監視を補完したり肩代わりしたりする。もちろん、マイクロソフト36

5を採用し、電子メールにアウトルック（Outlook）、会議にチームズを使っている大学では、電子モニタリングの機会ははるかに多く存在している。[12]

パンデミック以前からすでに、デジタル技術が新たな機会を提供するにつれて、仕事場の監視はその性格を変えつつあった。セントアンドリュース大学のカースティ・ボールはこう言っている。現在の組織は監視される組織であり、それは社会的な手段か技術的な手段か、あるいはその両方によって行われる。「監視の性質と強さの度合いには、企業が従業員をどう見ているかがきわめてよく表れる」[13]のだ。仕事場での監視の強化は多くの分野で常態化しているが、その一つに生体認証がある。これは身体に由来するデータが記録され、測定されるもので、パンデミックのせいでぐんと拡大するチャンスを得ている。だが物理的な仕事環境でも起きていることと、リモートワークの状況で起きることとはまったく異質だ。

†リモートワークにおける監視

具体的な国の例を挙げると、英国では二〇二〇年四月の時点で被雇用者の四五パーセントが、少なくとも部分的に自宅で仕事をしていた。そしてそのうちの八六パーセントは、新型コロナウイルスの感染拡大が理由だった。[14] ただし在宅勤務のためのツールがデジタルなもので、初めから監視機能が組み込まれている以上、遠隔でもモニタリングされる見込みは高くなる。実際に、他にも多くのシステムがどんどん普及していった。なにしろオフィスや工場から自宅勤務への移行はひどく急いで行われ、計画を立てる余裕もなかった。そしてある人物が評するように、「一日中パジャマで過ごす従業員が増え、雇用者側としては従業員がどれだけ熱心に働いているかを把握するのが次第に難しくなってきた」[15]。

国際労働機関の計算によると、世界的なパンデミックが発生した時点ですでに、在宅を主とする勤務形態は二〇一九年の七・九パーセントから二〇二〇年三月の一三―一五パーセントまで上昇していた。ブラジルとイタリアでもこれと似た数字が見られたが、インドでは情報技術者（四三〇万人を数える）の九〇パーセントがフルタイムのテレワークに移行した。インドでは自宅から仕事ができるのはおもに専門職や技術職なのだが、これは他の多くの国の状況と軌を一にしている[16]。

業務モニタリングシステムは、多くの国のビジネス環境で広く使われている。ヨーロッパおよび北米では、このシステムには監視カメラ、生体認証、ＲＦＩＤ（自動認識）、キーストローク追跡〔キーボードやマウスの動きを追跡することで本人確認を行う技術〕などが含まれる。英国の新聞社テレグラフでは「オキュパイ（OccupEye）」が使用された。これはデスクの下のボックスに出勤状況や体温が記憶され、そこから生産性を測定するという装置だ。[17] 一部の銀行では「ヒューマナイズ（Humanyze）」のバッジが使われていたという報告がある。これは従業員の行動をすべて見聞きし、会話の音量を分析するばかりか、従業員が日中どこへ行って誰と会っているかを追跡できるものだ。「クリックストリーム（Clickstream）」は特定のデータを収集し、コンピュータやインターネットがその日一日どう使われたかを報告するのに用いられる。こうしたものの一部は公共セクターでも――少なくともカナダでは――使用されている。[18]

従業員たちが仕事場での監視にどう反応するかを調べるためのある実証研究で、とくに興味深い発見があった。従業員は視覚による監視――監視カメラや写真に、ヒューマナイズもそうだ――とコンピュータソフトによる監視――クリックストリームやキーロギング〔キーボード操作を常時監視し、記録する〕、インターネット分析――を比べたとき、実際にはソフトのほうがはるかに多くのデータを収集しているにもかかわらず、視覚的な監視のほうをより干渉的だと評価することが多かった。こうした労働者たちの意識調査の結果から、リモートワーク時の監視へのネガティブな反応が比較的少ない理由が説明できるのではないか。実のところ従業員たちは、オフィスや工場にいなくても十分に生産的でありつづけていることを雇用主に納得させたいと思っているかもしれない。[19] だが皮肉なことに、従業員は監視されたほうが生産性が上がるという企業側の期待は裏切られるだろう。エデインバラ大学のクラウディア・パリアリは、従業員は自分が金魚鉢のなかにいるように感じ、気分が落ち込んで生産性が低下する恐れがあると言っている。[20]

もちろん、世界各国で事情は異なる。たとえば日本では、パンデミックのあいだ多くの人たちが在宅勤務になったが、自分が働いているところを見られるようにオフィスに戻りたい、と考える人たちもいた。東京の出版社に勤務する三二歳のある男性は、上司に見られるようにオフィスにいるほうがいいと言い、伝統的な職場の文化があるのでオンラインに移行するのは難しいだろうと考えていた。[21] しかし日本の在宅勤務者たちも、続々現れるこうしたテレワーク監視の新しい手段に自分が無防備にさらされていることに気づいた——他の多くの国の労働者たちも同じだ。ある試算によると、二〇二〇年四月には従業員へのモニタリングツールの需要が一〇八パーセント増になったという。[22] なかでも人気が高いのはタイムドクター（Time Doctor）、デスクタイム（DeskTime）、キックアイドラー（Kick-idler）などである。

だとすれば、パンデミックをきっかけに、在宅勤務のモニタリングそれ自体が一大産業となりつつあるのはほぼまちがいない。これはある意味、予想できたことではあるが、そこからはいくつか疑問が生じてくる。パンデミックが終息したあとも、在宅勤務は持続するだろうと予測する声が多いならなおのことだ。なんといっても企業側は、労働用スペースにかけていた費用をモニタリング装置に投資できるのに対し、従業員には自宅の冷暖房費などのコストがかかる。[23] 家庭内監視のターゲットとなった人たちは、自分の家のなかで何が起きているかを同時に複数の側面から雇用者側に知られる立場にあると、絶えず気づかされつづける。働き手は次第にアウトソーシングされて海外までモニタリングされるかもしれず、女性の従業員の気疲れはさらに悪化するだろう。[24]

†「家庭内授業」のモニタリング

遠隔教育は、中等後教育の一環としてかなり以前から行われているもので、私自身も一九八〇年代の半ばに、英国のオープンユニバーシティのチューターを務めたことがあるが、この制度のおかげで大学に通えない人たちも自宅で学ぶことが可能になった。一九八〇年代に使われていたのは郵便、電話、ラジオ、テレビといった馴染み深いツールだ。私が担当した「情報技術（ＩＴ）と社会」は、世界に先駆けてＩＴを使用し、さらに研究した課程の一つで、ひどく不細工な「音響カプラ」というものを使い、教授と学生とで短い電子メッセージをやり取りしていた。この課程では実際に、監視の問題の考察も扱っていたが、自宅での学習そのものが監視活動に当たるのではないかという問題提起をした学生がいた記憶はない。

そこから三五年ばかり早送りして、今日の遠隔教育に関わる人たちはみな、試験の監督、学習管理、テレビ会議による遠隔学習システムに監視機能があることを十分に承知している。現在の監視はこうした学習ツールのなかに組み込まれていて[25]、パンデミックのあいだに遠隔学習システムの利用頻度がぐんと高まったことで、家庭という領域があらためて監視のターゲットになった。そのおかげで家のなかが、かつてないほど他人の詮索を受けるようになり、プライバシーを保つ線が引き直された[26]。大学生たちのプライベートな空間だったはずの部屋、それもおおむね寝室が他人の目にさらされる、端的にいえば同僚の学生や教授たちの前に公開されているのだ。このことは、視覚的プライバシーのみならずテリトリー的プライバシーへの明白な危険をはらんでいる。学生、空間というかつては守られていたものの両方が、知らない人間や知っている人間の前にさらされるのだから。それにまた、学生たちの学問的な活動が新たに、ときとして歓迎されざるかたちであきらかにされるという意味合いもある。

たとえば試験の際の監督のことで、学生たちはひどい不安を味わわされる。自分の部屋をカメラに隅々まで映してみせながら、何か禁止されたものがないかどうかチェックされ、その後はエグザミティ（Examity）のようなシステムに試験中のウェブブラウザやキー操作をモニタリングもしくはロックされることを求められるからだ。ある父親が息子から聞いた話だと、やはり試験用のシステムである「プロクトリオ（Proctorio）」に徹底的にモニタリングされるのが「気味悪くてたまらない」と感じたという。何人かの学生たちは、「問題を口に出して読んだり、部屋を見回しながら考えたりしている」ところがカメラに映り、「システムがその行動を画面の外にいる人物に語りかけているものと解釈した」ために、試験に落第した。[27]

アメリカでは、五四パーセントの大学がリモート試験監督サービスを利用しているが、学生の反発もあり、五一パーセントがプライバシーの問題から導入や継続を躊躇している。[28]ニューハンプシャー州のダートマス大学では、オンライン学習ツール「カンヴァス（Canvas）」のログによる不正確な報告に基づいて、複数の医学生が試験で不正を行ったという判断が下され、無用な論争が巻き起こった。さらに悪いことに、電子フロンティア財団（EFF）は、「自らの権利を主張しようとする学生たちに対して大学の管理側は、自分たちの学生よりも不透明なデータセットによる不透明な調査のほうを信用しようとしている」と述べた。[29]

†学生たちが直面する苦難

高等教育の機関がそろってパンデミック時の遠隔学習のためにオンラインの監視手段を

導入するのは、ある種のパニック反応のように思える。もちろん、学問の場での不正を阻むという理由があるとはいえ、あらゆる問題が持ち上がっていることを学長や学部長たちは考慮しているのだろうか。

まず一つは、グローバルなパンデミックが続くなかで、学生たちも他の誰もと同じようにストレスにさらされているということだ。上に挙げたような粗雑なツールを使って試験中の不安を煽るのは、ストレス感をよけい悪化させるだけなのはまちがいない。

二つめの疑問は、試験の方式そのものに関わるものだ。カールトン大学のある物理学教授は、干渉的なかたちのモニタリングをするのでなく、大人数のクラスに対してランダム化した問題を出すことはできないだろうか、と問いかけている。[30] あるいは今回のパンデミックをきっかけに、試験そのものの有効性についての疑問が出てくるかもしれない。

三つめの問題も、やはり深刻な、学生たちのオンライン監視のあり方だ。とくにテレビ会議での授業中にウェブカメラをオンにしておくよう求めると、学生が脅威に感じたり、人種やジェンダー、階級に応じて不公平な扱いを受けたりする状況をつくりだす恐れがある。学生たちに自宅やプライベートな空間を人目にさらすように強いること、ときには目をじっと合わせつづけることさえ、一部のマイノリティグループには控えめにいっても文化的に無神経なことに当たるかもしれない。貧しい学生たちは、ネットワークの回線容量が小さいせいで、オンラインのカメラの画像に映りつづけられないかもしれない。また「カメラのために準備をする」のは、男性より女性にとって負担になることもあるため、ジェンダーの部分でも不利益をもたらす[31]。

これまでの話は主として高等教育に関わるものだが、高校から小学校までの生徒たちも、パンデミックのあいだは自宅で学習しなくてはならなかった。この生徒たちが直面する問題も、高等教育の場合とほぼ同じで、「教室の内と外での生徒たちの活動を企業が追跡する、周縁化されたコミュニティの子どもたちへの差別」、広告への利用を目的に「生徒のデータがサードパーティに売られる」ことなどだ[32]。グーグルは欧米諸国でとくに人気のあるオンライン教育や学習ツールの提供元だが、多くの人たちが、この巨大データマイニング企業はその技術を駆使し、子どもたちが知らないところで、あるいは親の許可を得ずにモニタリングをしているという声をあげ、結果として法的措置に訴えたりもしている[33]。

子どもを持つ中国の親たちもあきらかに、他の国に負けず劣らず、家庭での授業に疑問を抱いている。二〇二〇年の調査によると、大多数の親（九二・七パーセント）が子どもと一緒に、だいたい三〇分以内で終わるオンラインでの授業を体験していた。親たちはオンライン学習にたくさんの欠点があることを指摘し、子どもに集中を持続させる力が欠けている、自分では補助的に教えるという役割には無理がある、とこぼしている[34]。このコンテクストでは、どの企業がソフトウェアを提供しているのか、どんなデータを収集し、それがどう使用されているのかといった点には触れられていない。もっとも、そういった問題への関心がきわめて薄いのは欧米社会も同じだ。

パンデミック中の在宅での活動はつぎつぎに新たな課題を突きつけてきたが、なかでも学生たちを遠隔からどのように、また誰がモニタリングするのか、その影響はどうか、という問題がある。先に挙げた他の論点の場合と同じように、新型コロナウイルス感染の期間中のストレスに加え、パンデミックが公式に終息したあとに何が起こるかという問題もある。実のところ、教育機関はどのレベルでもコストアップに悩まされていて、とくに大学教員には金がかかる。そうしたコストを削減する新たな方法が長年求められてきた。今回のパンデミックを機に、遠隔教育やそれに伴う粗雑な監視体制への移行がより決定的になるのだろうか。

†家庭でのオンラインショッピング

パンデミックをきっかけに、日用品が手に入らない、サービスが使えないという突然の事態への対処法がいろいろ生まれた。データのことやプライバシーを気にかける人たちですら、いつも適用している基準をあきらめ、監視を明白な必要悪だとみなして屈するようになった。あるデジタルプライバシー関連の記者はこう告白している。「必要なものを手に入れるために、山のような個人情報を引き渡してしまった。食べ物は食料品店やレストランの宅配サービスから。それ以外のものは、服やキッチン用品、ズーム会議で顔が映えるためのリングライト、仕事部屋の家具もすべて、オンラインショッピングのプラットフォームから取り寄せた[35]」。

パンデミックの影響で、オンラインショッピングはかつてない規模にまで拡大した。実店舗が閉められるか、営業時間が短縮されるかするなか、消費者はオンラインに頼った。店の前で買い物を受け取れる「カーブサイド・ピックアップ」が利用できる場合にも、購入はオンラインでする必要があった。そしてもちろん、感染を避けたいという気持ちはみな同じだった。二〇二〇年四月の時点でも、eコマースによる荷物配送量は、二〇一九年の同時期から六〇パーセント以上増加していた。アメリカではポストメイツ（Postmates）、ドアダッシュ（Doordash）、インスタカート（Instacart）などが一躍、誰もが知る名前となった[36]。インドでは何億何千万という人たちが各地域の、近隣にある雑然とした店で毎日買い物をしているが、多くの富裕層にとってはオンラインショッピングがその代わりになった。彼らは食料品をはじめ、自宅での勤務および学習用のノートパソコンやヘッドフォン、さらにマスクや除菌剤やフィットネス用品などの健康グッズまで購入した[37]。

国連貿易開発会議（ＵＮＣＴＡＤ）の調査によると、多くの国でオンラインショッピングが急成長するなか、とくに影響を受けているのは新興国だという。[38]オンラインショッピングの増加率が最も高いのは中国やトルコといった国だ。ドイツやスイスなど、すでにｅコマースが一般に定着していた国での増加率はそれよりはるかに低い。ブラジルではオンラインでの消費習慣が大きく変化し、食品や飲料、医薬品といった必需品を買う割合が増えた。パンデミック発生後の最初の五か月間だけで、ｅコマースの売上は小規模な業者や実店舗のものも含め、六五・八パーセントも上昇した。[39]

中国では二〇二〇年の最初の九か月で、オンラインショッピングが全売上高の二四・三パーセントを占めた。同年の末ごろには、中国での新型コロナウイルス感染は下火になっていたが、この数字は下がらなかった。これで収益を上げたのは、アリババや京東商城(JD.com）などはもちろんだが、中国最大手のオンライン配送会社の美団点評も、食品サービスを大幅に増強した。[40]アリババの成功の大きな特徴は、グローバル市場、とくにＰＰＥ（感染症対策の個人用防護具）の分野で売上を増やしたことだ。ウイルスによる打撃が大きかったスペイン、イタリア、パキスタンでは、ＰＰＥの需要が高まったことが利益につながった。[41]

†勝ち組となったアマゾン

繁栄を謳歌《おうか》する企業のなかでも、とりわけアマゾンは、ワシントンDCからダブリン、デリーにいたるまで、全世界であきらかな勝ち組となった。二〇二〇年七月末までに、同社の収益は四〇パーセントも急増し、二六年前の創業以来最高の黒字を計上した。他の企業の多くは労働者を削減し、バス会社のグレイハウンド・カナダなどは二〇二一年五月におよそ一〇〇年の歴史に幕を閉じたというのに、アマゾンは二〇二〇年に新たに四〇万人の従業員を、おもに倉庫管理、配送業務の要員として雇い入れた。[42] この巨大企業は数百万人の顧客一人一人から詳細なデータを収集、分析し、顧客の購買意欲を煽っている。

アマゾンという名前は、多くの人にとっては、レコメンド技術とほぼ同義語といっていい。何かあるものを購入すると、他にも似たような商品を提案してくるのだ。このシステムのもとになっているのが「協調フィルタリング」というプロセスである。これはさまざまな提案を消費者に行うために、まず顧客一人一人のプロファイルを構築する。そしてそのプロファイルをデータシステム上にある他の似通ったプロファイルと比較し、その似通ったプロファイルを持つ顧客がこれまで買ったものに基づいて、最初の顧客が購入しそうなものを提案するわけだ。アメリカでは競合相手のウォルマートやターゲットも同種の協調フィルタリングを使っているが、どうやらアマゾンには太刀打ちできていない。

アマゾンの主要なビジネスはデータの抽出と処理だが、それは商品を販売するためだけでなく、顧客との関係を構築するためのものでもある。アマゾンはユーザーすべてのデータを収集するだけでなく、そのデータをサードパーティに売ってもいる。マサチューセッツ大学アマースト校のエミリー・ウェストが指摘するとおり、アマゾンが集めた消費者データには「購入したもの、商品のウィッシュリスト、ページクリック、ページ滞在時間、検索、メールの開封、商品のレビューや評価などが含まれ――そこから予測アルゴリズムを作成し、アマゾンの商品とサービスをさらに消費者の購買欲をかきたてるものにするために活用できる」[43]。しかしその不気味な印象をぐっとやわらげてくれるのが、アマゾンの友好的なアシスタント「アレクサ」の存在だ。「彼女」はこのデータを使ってカスタマイズされたサービスをユーザーに提供するだけでなく、ユーザーの個人データにもアクセスし、そうした間近での監視を顧客がありがたがる「サービス」へと活用できるのだ。

アレクサの力を借りずとも、各オンライン・プラットフォーム企業は、消費者が自分の動きを追跡されていると知ったときに感じる「クリープ・ファクター（気味悪さ）」を回避する方法を見つけ出している。たとえば大手スーパーであるターゲットのプログラム「ターゲット・サークル」では、毎回の購入時に一パーセントの割引（それ以降の購入時にも繰り越しできる）と、五パーセントの誕生日割引を提供している。[44] しかし、消費者が「望ましくない」顧客としてプロファイルされる可能性があることや、そのシステムがセキュリティの面では十分でないことを伝えようとはしないだろう。

新型コロナ危機のなかで、すべてのオンラインショッピングがこのようなかたちで運営されているわけではない。たとえば地域の生産農家が運営するファーマーズマーケットなどは、パンデミック中に生産者と消費者を結びつける純粋なサービスとしてオンラインを活用しつつ、実際の市場が再開して対面で売り買いできるときがくるのを待っている。しかしオンラインショッピングの圧倒的大多数は、たとえアマゾンとの関連はなくても、アマゾンのようになりたいと考えている企業だ。これもまた、こうした企業は各家庭内で何が起きているのかを、またその家庭で暮らす人たちにより多く売るには自社をどう位置づけるのがベストなのかを絶えず知ろうとしているということだ。

しかしオンラインショッピングと監視とを考えるとき、とりわけアマゾンのような巨大企業との関係においては、明確にいくつかの疑問が出てくる。オンラインショッピングにターゲティングが関わっていることが実際にどこまで知られているのか、またそのターゲティングは複雑な消費者プロファイルにどこまで依存しているのか。アメリカではいくつかの調査によると、ターゲティングへの認識がかなりの割合で存在し、だいたい三分の一から二分の一が知っていると答えている。消費者はターゲティングについての認識があると、オンラインショッピングに足を踏み入れるのにぐっと慎重になる――少なくともパンデミック以前のアメリカではそうだった。ターゲティングに対する否定的な意見には、購入への意欲を低下させる効果がある。[45]

今回高まったオンラインショッピング熱は、パンデミック以後も続く可能性が高く、その影響は家で買い物をする人たちの暮らしぶりのデータ化ばかりか、配送取引のからんでくる環境、そしてもちろん家から買い物をする手段を持たない人たちにも及んでいく。また、これも覚えておくべき点だが、パンデミックのあいだは、衛生上の観点からクレジットカードやデビットカードの使用が多少なりと求められるので、さらに多くの消費者データが流れ出すことになる。これはパンデミックのあいだだけでなく、それ以降にも、分析と対策が求められるきわめて重要な部分だ。

†現状の先にあるものは?

パンデミック監視はあきらかに、接触確認や公衆衛生データシステムだけにはとどまらない。他のさまざまな領域にまで拡大した監視活動も否応なく含まれ、とくにいまでは家庭という場所にまでさらに深く食い込んでいる。これはつまり、こうした監視が高齢者から若者まで、男性から女性まで、そして比較的裕福な人から永遠に貧しい人まで、あらゆる年齢層の人々の生活に関わっているということだ。

この章で見てきた状況はおもに、いわゆる「グローバル・ノース」、つまり北の先進国に暮らす比較的裕福な人たちに関連するものだった。もちろん、監視が実在し問題をはらんでいることに変わりはないが、これまで論じてきたことは特定の種類の問題に限られている。たとえばギグワーカー〔単発で仕事を請け負う労働者〕への監視という面では、同様の問題がグローバル・ノースにもグローバル・サウス〔南半球の途上国〕にも存在している。また、「ズーム疲れ」[46]と監視との関連はまだ検証されていないし、リモートワークと家事労働との関係についてもより詳細な検討が必要だ。パンデミックのために多くの人々の生活がより不安定になっているが、これは家庭内での活動、とくに仕事のモニタリングと無関係でない場合が多い。

不安定な生活を送る人たちはどの社会にも存在するし、それを生み出している状況は世界中で似通っていて、監視資本主義が急速に浸透している現状ではとくに顕著だ。私はこれを「予測のモード」と呼んでいる。それは本質的にデータおよび、データを分析し利用するツールに依存するものだが、こうした点についてはあとの章でさらにくわしく掘り下げていこう。しかし不安定な生活をする人たちが最も明瞭に見えてくるのは――ここには二重の意味をこめている――グローバル・サウスの国々だ。

アカデミア・デ・ウマニスモ・クリスティアノ大学のクラウディオ・セリス・ブエノはチリを扱った記事のなかで、この点をきわめて明快に見通している。過重労働は常態化し、デジタル技術の使用で悪化している。そして人々が家で働き、学び、買い物をし、生活していれば、そのせいで労働と非労働の時間の区別がさらにぼやけてしまう。そしてデジタル技術は、もともと継続的な監視の機能が備わっているために、このプロセスを助長する。家庭内での女性と男性の関係も考慮に入れると、事態はよけいに悪くなる。たとえばチリの調査によれば、九二パーセントの女性が「家事や育児の分担に不平等があり」、そのことがリモートで働くときの能率に悪影響を及ぼしていると考えている[47]。

パンデミックは家庭をターゲットにした監視が急増するきっかけになった。人々は一人一人家のなかに囚われ、フーコーが言ったように、絶えざる「検査」の下に置かれた。もっとも一七世紀のペストの町での「総代」の「点呼」や「訪問」は、人間が一軒一軒の家を訪ねていくものだが、今日では遠隔から自由に家へ入り込んでいく。つぎの章では、これらのデジタル技術――すべて監視用のもの――が社会的な不利益やデータの不公正をいかに助長しているかをさらに掘り下げていこう。こうした技術は必ずしも社会的に悪影響を及ぼすとは限らないが、その設計、開発、導入のされ方がそうした結果を生むのだ。

第4章 データはすべてを見るのか？

Data Sees All?

†データの奔流を生きる

データは他のときと同様、パンデミックのあいだも非常に役に立つ。状況を把握し、対応策を策定し、リソースを割り振り、政策にどんな効果があるかを評価するうえで欠かせないものだ。しかし三人の優秀なデータ研究者が示しているように、「不完全なデータや不正確なデータは、かえって事態を混乱させる恐れがある。それぞれのコミュニティ内部での大切なニュアンスをぼやかしたり、社会経済的な現実といった重要な要素を無視したり、誤ったパニックや安全の意識をつくりだしたりもするし、個人情報を無用に人目にさらすなどその他の弊害はいうまでもない。たったいまにも、不適切なデータは重大なミスを引き起こし、何百万もの人々に悪影響を及ぼしかねない」のだ。[1]

パンデミックを生き抜くというのは、データの奔流を浴びることだ。新型コロナウイルスが出現したのは、現代生活のほぼあらゆる面がデータを中心に回るようになった時代である。だとすれば、パンデミックへの対処にもデータが活かせると考えられたのも不思議はない。毎朝目を覚ますたびに、新たな統計データ、感染経路に関するデータ、ウイルスの視覚化、今後の進展の予測などが飛び込んでくる。あらゆるニュース番組、ニュースサイト、公衆衛生当局がデータからあきらかになった内容を伝えてくる。そこにはデータへの反応も含まれる。二〇二〇年四月八日は、アメリカでこんな問いかけが最も多くあった日だった――「布地でマスクを作るにはどうすればいいのか」[2]。まるでデータがすべてを見ているとでもいうようだ。

もっとも、実際はそんなことはない。データは特定の視点からストーリーを語ることができるだけで、もともとのソースの信頼性やデータの整理、その分析に用いられるアルゴリズム、その解釈と使い方などに依存している。データ自体は何も語らない。解釈を施し、うまく使えるようパッケージにまとめる必要がある[3]。データは全体像を見るわけではない。ただ像の一部を描き出すだけだ。そして必ずしも正常な視力で、正確に見ているわけでもない。いくつかの重要な細部、たとえば新型コロナの感染が増える見込みのモデリングなどを示してくれることはあるが、それ以外のきわめて重要な部分を見落としたりもする。この章では舞台裏の、ろくに明かりもないような暗がりに潜入し、謎の多いデータの世界におけるパンデミック監視を理解できるかどうかやってみよう。

†監視とデータ利用

監視（surveillance）という言葉は、もともとのフランス語が「見守る（surveiller）」という意味であるように、かつては文字どおり「見ること」を指していた。たとえば秘密諜報員は、疑わしい人物をひそかに尾行するという務めを課せられる——自分は見られないようにしながら、ターゲットを常に視界に入れておくのだ。監視カメラですら、開発された当初は調整室に要員たちがずっと詰めて、画面にトラブルの兆候はないか見つめていなくてはならなかった。[4] こうした場合の「見ること」は、常に何かが介在してはいるとはいえ、直接の視覚を伴っている。[5] ところが現在の監視は、視覚そのものや、実際に見張るという行為はほとんど必要ない。今日、私たちが他人のために可視化されるのはもっぱらデータというかたちにおいてであり、それもスマートフォンの使用を通じてである。これはつまり、私たちがデータとして表現されるということ、私たちがデータとして何らかのかたちで扱われるということなのだ。

二〇二〇年のパンデミック発生以降、新型コロナウイルスに感染しているかどうかを診断する手段が緊急かつ大規模に求められるようになり、従来の検査に加えて最新のＡＩや機械学習による手法も注目された。あの9・11では、ニューヨークとワシントンの同時多発テロをきっかけに、テロに対抗するハイテクな「ソリューション」が爆発的に増えた。当時と同じように、新型コロナウイルス感染症も多くのデジタル対応策を生み出し、とくに機械学習やＡＩの熱心な推進者たちが引き寄せられ、そのスキルを活かして新型コロナ危機に対処するためのビッグデータ診断ツールを見つけようとしている。

二〇二〇年半ばから二〇二一年、そしてまだ不確かな未来へ向けて、世界中でさまざまな研究チームが結成され、パンデミックの経路のモデリングから診断の速度と精度の向上までのあらゆるものにデータを利用する方法を模索してきた。モデリングはあきらかに監視のためだが、診断法を見つける試みは適切なデータの取り扱いが重要だということをごく明確に示した。その一方では第3章で見たように、他の多くの企業も、オフィスや店舗や学校が家庭のなかへと移転するのを後押しするために、熱心に監視システムを作っては売り込みつつ、その家庭からデータを吸い上げて利益を掘り出そうとしていた。

この章は、一つの訓話から始まる。データを用いて感染を食い止めようとする試み全体を疑問視しようという意図はない。これまで強調してきたように、データは価値のあるものだし、すでに多くの命を救ってもいる。むしろ注意を払うべきなのは、この分野をリードする研究者たちがパンデミックにおけるデータの取り扱いに懸念を表していること、その懸念に示されているのがこの分野での、私たちが直面しなくてはならない深刻な問題だということだ。

この具体的な事例研究のあとは、データにまつわるどのような前提に多くの分野の学者たちが疑問を呈しているかに注目し、一部の技術ツールの妥当性と目的適合性を向上させようとする視点とともに紹介しよう。そして最後に、こうしたデータ技術に十分な効果を持たせられるような「データ正義」へのアプローチに重要な要素を探っていく。データ正義とはデータを使われる人たち、またデータの恩恵を受けられる人たちに対して公平だという意味である。

†フランケンシュタインのデータセット

今回のパンデミックのあいだには、データ分析全般だけでなく、機械学習やＡＩも大いに役立つのではないかという熱烈な意見が多く寄せられた。その代表格であるマーガレット・ボーデンは、議論を単純化して、ＡＩとは「人間の頭にできる種類のことをコンピュータにやらせようとするもの」だと言っている。[6] たとえば、私たちが買ったばかりのハイブリッドカーにＡＩが搭載されていたとしよう。そして初めて夜間に走らせたとき、突然、対向車が現れるとヘッドライトの明度が下がり、その後また勝手にフルビームに戻ることに気づく。機械学習は確率論や統計学を加えたもので、とくにデータマイニング、ビッグデータ処理に用いられる。こうした新車も小規模にではあるが、私たち一人一人の運転スタイルを「学習」するのだ。これは心強く感じるべきことなのか、不安になるべきことなのか。

ある患者の新型コロナウイルス感染を診断し予後予測をするうえで、胸部X線写真やCTスキャンでは、機械学習は大きな可能性を示している。そのために、機械学習がこうした喫緊の課題をいかに支援できるかを解説し、その臨床的有用性を主張する記事や論文がすごい勢いであふれ出した。しかし大半は専門家によって満足のいくものではないと判断された。二〇二一年三月、英国のケンブリッジ大学とマンチェスター大学の科学者たちが大規模な調査を行い、「特定されたモデルはいずれも、方法論上の欠陥および、または根底的なバイアスがあるために、臨床使用には堪えない」という結論が出された[7]。

上席著者の一人であるケンブリッジ大学医学部のジェームズ・ラッドは、あるインタビューでこう語った。「国際的な機械学習のコミュニティは、機械学習を用いて新型コロナウイルスのパンデミックに取り組むべく多大な努力を費やした」。しかしそのあとに、初期の研究は有望だったものの、その手法と報告には不備があったと続けた。これはつまり、その結果は基準に達しなかった——医院や病院で実際の役に立つような、十分な信頼性や再現性のあるものではなかった——ということだ。

指摘されたいくつかの欠陥のなかに、「フランケンシュタインのデータセット」と呼ばれているものがある。この名のもとになったメアリ・シェリーの想像の怪物は、フランケンシュタインという名の青年が死体からつくりあげたおどろおどろしい代物だが、当の青年はすぐに恐怖に駆られ、この「醜いわが子」を棄ててしまった。その怪物にちなんで名づけられたデータセットは、別のデータセットから調達した画像の複製からなっている。そしてその元のデータセットも実はすでにあるものの寄せ集めだという、実にありがちな問題を抱えていることがわかった。どこからどこまでも、その名前自体も含めて、背筋が寒くなる話だ。しかし、五つある新型コロナウイルスの診断または予後予測モデルのうち、アルゴリズム、つまりコンピュータコードを共有し、論文のなかで主張するとおりの結果を他でも再現できるようにしているものは一つだけだった。こうした共有は「優れた《グッド》・取り組み《プラクティス》」の基本であり、とくに世界的なパンデミックという、多くの国の専門家たちが規模はちがっても同じ問題に取り組んでいる状況下ではきわめて大事なことだ。

　この重要な研究によれば、使用されたアルゴリズムの有効性にも厳然たる限界があり、とくにデータが特定の層の人たちのみに関連したものである場合にはそれが著しい。筆頭著者のマイケル・ロバーツはこう述べている。「いかなる機械学習アルゴリズムも、その訓練用データ以上に優れたものにはならない……とりわけ新型コロナウイルス感染症のようなまったく新しい病気では、訓練用データは可能なかぎり多様であることが重要になる。今回のパンデミックを通じてわかったように、この病気がどういった様相を呈し、どういった振る舞いを見せるのかに影響を及ぼす要因はきわめてさまざまだからだ[8]」。

ここでの訓話は、性急な研究が、また行きすぎたデータ主義——データの有効性を過度に信じること——が、どんな結果になるかの一端を示している。機械学習をもとにした診断ツールの欠陥とバイアスは、著者たちが数度にわたって「きわめて楽観的に報告された成果」と呼ぶものを生み出す。データがどのように収集、整理され、分析、使用されたかは大きな疑問となる。この章ではパンデミック監視の世界全体において、ビッグデータや機械学習、人工知能から生じてくるいくつかの重要な問題を検討していこう。

†疑わしい前提

二一世紀に入り、ミシガン大学のジョン・チェニー＝リッポルドは、「われわれはデータである」と言明した[9]。どういうことかというと、私たちに関連するデータは実用的な目的のために収集、分析され、企業や政府部局、学校、警察などに対して「この人物は誰か」を示すのに使われる。したがって彼らにとって重要なのは、私たちが自分自身をどう証明するかよりも、彼らが私たちの「データ・ダブル」〔データに捉えられたその人物のデジタル複製〕について何を知っているかなのである。[10] これは恐ろしく重要なことなので理解しておくべきだ。なぜなら通常の日常生活では、私たちは自分がこなすいくつもの役割、あるいは「アイデンティティ」と呼ぶものに応じて、自分自身のことをさまざまに考える。しかし私たちのデータ・ダブルは、そうした役割にたやすく抑制をかけたり、私たちが自分に投影したいと思っているものとはまったくちがった意味を与えたりする。

それは私たちの「デジタルな」世界がデータに依存した領域、データ化された世界であるからだ。データ化という考え方は、今日ではありふれており、疑問の余地なく良いものであるかのように説明されることが多い。ユトレヒト大学のホセ・ファン・ダイクは、この考え方にメスを入れ、「在ることと」と「知ること」が同じだというような疑わしい主張の陰に潜む欠陥をあらわにしてみせる。とくに彼女は「データ主義」という言葉で、「人間のあらゆる行動を客観的に数値化し、追跡することができるという思い込み」を辛辣に表現した。[11] データ主義はまた、データを収集し分析する人間たちはそのデータ収集、解釈、共有をまかせられるほど信頼できるということを前提にしている。こうした思い込みと信頼は、おびただしい量のデータを使った監視が恒常的プロセスとなった世界ではかなり重要なものだ。そしてこれは警察や治安当局、公衆衛生機関だけに限らず、プラットフォーム企業にも当てはまる。実際にいま、日常生活で重要な役割を果たしていて、パンデミックの影響で一般的な使用が目立ってもいる。

ホセ・ファン・ダイクと同僚のドーニャ・アリネジャドは、今回のパンデミックで、思い込みと信頼の問題は際立って重要になったと論じている。その理由としては、公衆衛生関連の情報を発信する手段としてソーシャルメディアが拡大したこと、情報の出どころが公式の組織なのかネットワークなのかが区別しづらくなったことがあると言う。[12] ソーシャルメディアはサイエンス・コミュニケーションにおいては両刃の剣で、健康情報の共有を促進するためにも損なわせるためにも使われうる、とファン・ダイクらは述べている。結局のところ、ソーシャルメディアはさまざまな思考の市場であり、したがって利益を追求するものだが、それは共通善の助けになるかもしれないし、ならないかもしれない。これは監視の問題にも同じように当てはまる。ソーシャルメディアを監視する存在は、誰より多くのデータを収集し処理する立場だが、そのセンシティブなデータを使ってまっとうなことをすると信頼してもいいものなのか。

パンデミック発生から間もないころ、データの専門家であるロブ・キチンは、事態の成り行きをすでに見通していた。そして、まもなく公衆衛生データが地雷原になると警告した。アプリや熱探知カメラ、生体認証ウェアラブル端末、そして接触確認に隔離管理に旅行、物理的距離の確保、症状追跡のための予測生体認証など、あまりに多くの監視ツールが性急に導入されたことを憂慮し、そうしたものの実際の有効性と、公衆衛生および市民的自由への影響にも疑問を呈している。[13] たとえばイタリアでは、被害の甚大だったロンバルディア州がドローンに搭載した熱探知カメラを使い、あきらかに規則を破って夜間の外出禁止区域にいる人たちに拡声器で警告を発した。[14] 自分たちは特別な権限を与えられていると警察は主張するが、しかし計器の数値の精度にはばらつきがあるし、合意が得られないケースもあって法的な問題が生じている。

こうした問題のいくつかは第2章で、とりわけ接触確認アプリ関連のところでくわしく検討した。とはいえ、パンデミックで監視技術を使うことから生じる問題は多岐にわたる。たとえばテクノソリューショニズム、分野に合った堅牢な設計、パイロットテストと品質保証、目的適合性、データソースが断片化する可能性、データの網羅性と解像度、データの品質、信頼性、誤検出と見逃しなどで、これらの多くがデータに直に関連している。そしてキチンが予測したように、「公衆衛生インテリジェンス」のツールを含め、こうしたデータをもとにするソリューションの多くでは、その有用性が誇大宣伝されていた。

†ビッグデータの驕り

公衆衛生インテリジェンス（ＰＨＩ）の科学は、パンデミックで起きていること、これから起きることを突き止めるうえできわめて重要だ。[15] ごく大規模なものとしては、WHOが運用する「グローバル・アラート・アンド・レスポンス」が、感染の発生とおぼしき情報を公的な報告から噂にいたるまで、公式、非公式の幅広い情報源から組織的に収集している。[16] 公式の情報源とは世界各国の公衆衛生部門のことで、非公式な情報源とは電子メディアやオンラインのディスカッショングループなどだ。このようなPHIの目的は、公衆衛生上の「現象」が発生したときに、もしくは発生する以前にそれを見つけ出すことにある。ただしこの場合、非公式の情報源が従来からある公式の情報源よりまさっている、という印象を与えないようにすることも重要になる。

二〇〇八年にグーグルは、インフルエンザの流行に関する大胆な予測を行い、われわれはインフルエンザがいつ、どこで大流行するかを、米国疾病対策センターよりも正確に示すことができると明言した。その発想自体は拍子抜けするほど単純なものだった。何百万もの検索結果にアクセスできるグーグルは、人々がインフルエンザの症状や対処法を検索しはじめたとき、そうした検索の量とタイプを追跡することで、どこで流行が起こっているかを算出できる。これをCDCのインフルエンザ追跡情報と組み合わせることで、グーグルはCDCより二週間早く、インフルエンザの流行を正確に予測することができたのだ。[17]

この「グーグル・インフルトレンド」は数年にわたって運用されたが、二〇一三年にはインフルエンザ流行のピークを四〇パーセントも多く予測するという派手な失敗をしでかした。二〇一四年の科学雑誌『サイエンス』の記事は、[18]この失敗はグーグルが、自分たちの手法が従来の手法より優れていて、それに取って代われると考えていたことが関連していると結論づけた。つまるところ、「ビッグデータの驕《おご》り」と「アルゴリズムのダイナミクス」に関わっているということだ。前者についてはもうお気づきだろう——問題はグーグルのデータに依存しすぎたことにあった。後者のアルゴリズムのダイナミクスとは、アルゴリズムを作るエンジニアが商業サービスを改善するために何をし、さらにそのサービスを利用する消費者が何をするかということだ。つまり、消費者のパニックが数字を歪めたということもありうるが、より可能性が高い原因は、ただのかぜとインフルエンザの症状の違いを消費者が混同したことだと『サイエンス』誌の著者たちは言う。グーグルは、顧客へのサービスを改善しようとしたことで、結果的にまちがったデータを生成してしまったのだ。この話から、得られる結果を改善するための教訓がいくつか出てくる。アルゴリズムをチェックすることがその一つ。もう一つは、「ビッグデータ」のサイズがただ大きいというだけで成功が保証されたとは思い込まないことだ。

　つぎは、ある具体的な疑問に目を向けてみよう。データは普通の人たちの日常生活にどういった影響を及ぼすのか。これは非常に重要なことで、第5章と第6章で取り上げる二つの大きな問題につながってくる。一つは、パンデミックのなかでデータ差別がどのように行われているのか、もう一つは、データが政府および企業の権力とどう関わってくるのかだ。まずは監視カメラのデータが人々を、新型コロナウイルス感染者もしくはその疑いがある対象として、またその他のかたちでどのように可視化するかという問題から始めよう。

つぎに、人々がデータによってどのように表現されているかを、とくに「人種」が問題となってくる場合について示していこう。そして最後に、そうした表現に基づいて人々がどのように扱われているかを問う。いずれの場合でも、パンデミック監視において、医療や公衆衛生とは無関係な理由のために使用されるデータも、データの収集、分析、使用によって人々がどのように可視化され、表現され、取り扱われるかという同じ問題によって影響を受けているのが見て取れる。データの使用は、他の分野でも同じだが、公衆衛生という事柄の中心的な問題となっていて、とくに自由と公正の問題に影響を及ぼす。

†可視化される私たち

監視する側の多く、とくにプラットフォーム企業が実際に何をしているかという透明性は高くないにもかかわらず、監視する側にとって私たちの暮らしぶりはおそろしく透明なものとなっている。一般の市民が自分たちのどんなデータを収集されているのかを絶えず把握するのは不可能だし、パンデミックで他のいろいろな心配事に対処しなくてはならないならなおのことだ。接触確認のデータとワクチンパスのデータがともに人々を可視化している。そしてもちろん、第2章で検証したパンデミック対策の監視も同様だ。

接触確認データでは、新型コロナウイルス感染関連のステータスが可視化される。ワクチンパスのデータは、ワクチン接種を証明するものだ。家庭内がターゲットにされる世界では、データは雇用主に、従業員たちのリモートでの仕事ぶりを示してみせる。教育機関には、学生たちの学習ぶりはどうか、とくに試験での成績はどんなものかを。オンラインショッピングのプラットフォーム企業には、消費者たちが何を買っているか、それが当人のプロファイルや階級、ステータスにどう関連しているかを。こうした細かな目的や結果は国や地域によりけりだが、監視が人々を可視化するという基本的なプロセスはどこでも変わらない。[19]

このようにデータは「見る方法」、つまり私たちを他者のために可視化する方法として、普遍的に使用されている。そしてこの場合の他者とは、権力を代表する機関や当局、企業だ。当然ながら公衆衛生当局は、誰が、どこで、どのくらいの時間、誰と一緒にいたかを知りたがる。そして当局が収集し分析したデータによって、さらに観察や治療を要する人たちを区別するために設定されたカテゴリーそれぞれの内部での生活ぶりを「見る」ことができるようになる。同じように、パンデミックのステイホームで家に閉じ込められるのはもういやだ、旅行に行きたいという人たちは、ウイルスを拡散するリスクが他の人たちより低いことを示すワクチン接種の証明書を携帯しなければならないかもしれない。

だが、たとえば英国では、COVIDステータス証明書の携帯を義務づけることは違法な間接的差別に当たる可能性がある、とEHRC（平等人権委員会）が警告を発している。二〇世紀のアパルトヘイト下の南アフリカでは、「黒人」とそれ以外を区別するのに「パスブック」が使われていた。COVIDステータス証明書はそれと同じような、データが生み出す可視性に基づいた二層構造の社会を生み出す可能性がある、とEHRCは言う。この証明書は行動制限を緩和するための手段として適当かもしれないが、証明書の取得が進んでいないグループ、たとえば移民や少数民族、社会経済的地位の低いグループなどをさらに排除することになりかねない。そうしたグループが可視化されていくことは彼らの生活にも影響を及ぼすだろう。英国の首相は、パブや劇場へ入るにも証明書が必要になるかもしれないと示唆した[20]。

そうなると、ある人物がさまざまなコンテクストにおいて、どのように可視化されるか、あるいは可視化されないかによってたくさんのことが決まってくる。監視を正当化する論拠はごく明快だ。接触確認アプリは感染のレベルを抑え、治療の必要な患者を病院で対処可能な数まで減らし、ひいては人命を救うためにある。同様にワクチンパスは、経済が部分的に再開され、人々がもっと自由に移動でき、何か月も切り離されてきた家族や友人たちが会えるようにするためのもの、ということになっている。こうした願望にはいろいろな角度から疑問を投げかける向きもある。たとえば、もうすでに触れたように、こうした議論の裏には損得勘定がひそんでいることが多いのだ。とはいえ、一つの解決策をもたらすアプリや証明書にまっとうな需要があるのも確かなことではある。

職場や学校、医療や商業の場での人間関係となると、それが可視化されるプロセスはさらに不透明だ。オフィスや工場には監視システムがあり、リモートワークに向けて急速に増強されているが、監視がどこまで及ぶかは必ずしもあきらかになっていない。たとえば「ボスウェア」によって、管理側が従業員を目だけでなくデジタル的にも「見る」ことができるようになるなどと、誰が想像しただろうか。学生たちは何年も前から「学習プラットフォーム」によって教員がオンラインで自分たちの進み具合をフォローし、どの文献を参照したかなどをチェックできることを知っていたが、パンデミックを機にそうしたモニタリングは、リモートで授業を受ける学生に対してはぐんと増大した。そしてこれまで見てきたように、私たちはみな、マウスをクリックするたび、またときには目を動かすたびに、図らずも監視に貢献している――そうした行動がアマゾンやアリババなどのプラットフォーム企業に私たちを可視化させ、プラットフォームはそのデータを企業に売る。そしてそのデータが政府機関や政党などの手に渡るのだ。

これらの問題への対処が難しいのは、そうした対応は従来、個人の権利、たとえばプライバシーといった言葉で表現されてきたためだ。しかしティルブルフ大学のリネット・テイラーが言うように、「これが問題となるのは、見えないものを……データ技術を通して〝見る〟ということだけでなく、データのもたらすネガティブな影響の多くが個人レベルでも集団レベルでも起こるという事実があるから」なのだ[21]。

†人々を特定のかたちで表現する

だが、監視データはただ人々を可視化するだけではない。監視データは特定のかたちで人々を表現したり、あるいは表現しなかったりする。たとえば、よく指摘されるように、スマートフォンも全員が持っているわけでは決してない。これはつまり、接触確認アプリを入れるにはスマホが必要で、もしそれが本当に感染の可能性を人々に警告する機能を果たすのなら、スマホを持たないのは、このコンテクストではデータがゼロになるということ、したがってさらされなくていい感染源にさらされる可能性があるということだ。そして第2章で見たように、接触確認アプリはさまざまな理由からたやすく誤検出や見逃しを起こすため、実際に使用されたときには、このシステム上に現れる人たちが誤った表現をされる傾向がある。

また、これは実際にフィリピンで起きたことだが、もし匿名化された新型コロナウイルスのデータに誤りや不一致があったせいで、感染者数が減少したと一般に伝えられようものなら、多くの国民が危険にさらされてしまう。フィリピンのある上院議員が言ったように、「ゴミのデータ」は政府による「ゴミの決定」を生み出しかねないのだ[22]。こうした「ゴミのデータ」がネガティブな効果をもたらすのもやはり、人々がデータによって表現されるためである。

リネット・テイラーはおおむねここで扱っているようなテーマを追いかけている人物だ。彼女はインドの国民識別番号制度「アドハー」を例にとって、とりわけ貧困層の人々が甚だしく軽視されていること、そのプロセスがパンデミックのあいだに拡大していることを示した。「アドハー」のシステムは貧困の物質的現実をまったく無視している。たとえば何十年も必死に働いてきて指の皮膚がすり減ってしまった人の指紋が採取できない、高齢者の虹彩スキャンが栄養不良のために役に立たない、といったことだ。

テイラーはこのコンテクストにおけるもう一つの例を挙げている。あるコンサルティング会社が提案した、欧州宇宙機関の協力を得て、ＥＵ諸国の南側の国境方面へ移動してくる難民の動向をモニタリングする計画だ。海岸に集まった難民を見張り、ソーシャルメディアの投稿などをチェックして、誰がどこの目的地へ向かっているか、誰がいつ国境を越えるかを予測する。そしてそのデータを国境管理局や移民当局に売り、難民が到着する前に、その「望ましさ」に応じてアルゴリズム的に選り分けられるようにしようというのだ。その計算結果から、難民が保護を得られるチャンスを、当局はあらかじめ選別できる。[23] 移民たちもパンデミックのあいだはより大きな危険にさらされることになるのだ。[24]

†ブラックボックス社会

しかし人々がデータによってどう表現されるかは、そう単純な問題ではない。データはアルゴリズムによって処理されもする。アルゴリズムとは、基本的な情報を特定の目的に向けて、より使いやすいかたちに変換するのに用いられるコードである。こうしたアルゴリズムはあらゆるシステム内で、人々がどう表現されるかの最も重要な決定要素となる。そして私たちがそのことを理解するのを阻む基本的な事実は、フランク・パスクァーレが雄弁に語っているように、アルゴリズムが「ブラックボックス社会」をつくりだすことだ。[25] この社会は「見る」ことができないのだ。

アルゴリズムは、ただ単に「技術的」で「中立的」なものではない。データを特定の目的のために整理する強力な手段となる。ブラックボックスは飛行機などの交通機関で、技術データを記録するために利用されているが、そうしたイメージもあいまって多くの人に、データの処理とはよくわからないものだという印象を与える。ブラックボックス社会とは、人々の日々の生活、行動、運動に関する大量のデータ――ヘルスデータも含む――を処理するための選別機である。新型コロナウイルス感染症の場合には、自己学習型アルゴリズムの利用が一気に進んだことで、フィードバックループが生じていることがわかってきた。二一か国を対象にした研究で示されているのは[26]、アルゴリズムがいかに「生の」[27]データを政策提言に変え、それが行政に採用されるかということだ。そしてそのことがデータに影響を及ぼし、それがまた自己学習型アルゴリズムへと戻ってくる。

こうしたことには政治的な影響があり、民主的プロセスにも響いてくるのだが、第6章でさらにくわしく検討していこう。当局は選別されたデータを根拠に決定を下すが、そうしたデータは実際に起こっていることへの私たちの理解を単純化し、結果として歪めもする。しかしアルゴリズムが複雑で不透明であるために、このことは多くの場合、疑問視されないままになる。そうした結果、政策の議論や法的規制までもが「すべてを見る」とされるデータをもとに決められるのだが、実際に見えるのはひどくぼやけた像でしかない。

†アルゴリズムによる選別

社会は平等ではなく、特権を得る者もいれば、不利な立場に置かれる者もいる――そうした考え方はありきたりなものだ。しかしデジタル技術やデータ利用、とくにアルゴリズムによる選別などは、実際に不利益をさらに強め、一方で特権を永続化させる、という意見も多い。ロンドン大学ゴールドスミス・カレッジのミルカ・マディアノウは、これをパンデミックの「二次災害」だと述べている。[28] パンデミックがどういった経過をたどるかは、数々の社会的、政治的、経済的、環境的、文化的要因によって決まるが、そのなかでもデジタル技術は病原体そのもの以上に重要な役割を果たす。これにはさまざまな側面があるが、とくに重要なのは「自動化と、アルゴリズムによるフィルタリング」への依存だとマディアノウは言う。これはプリンストン大学のルハ・ベンジャミンが著書『テクノロジー以後の人種』で熱烈に主張している問題でもある。[29]

この問題の一部は、システムに組み込まれた基本的な前提にある。たとえば、「標準的な人間」がどこかに存在する、といったものだ。アムステルダム大学のステファニア・ミランが指摘するように、標準的な人間というものさしは、「その他」として扱われる人々や、不平等がすべての社会に存在するという基本的な理解を考慮に入れていない。[30] にもかかわらずビッグデータにまつわる言辞の多くには、客観性、合理性、確実性といった概念があふれている。そして往々にして、データの取得がいかに行き当たりばったりか、その分布が不均等か、その出どころの信頼性のレベルがまちまちか、フィードバックループを生み出す傾向があるか、といったことを論じる時間はほとんどない。しかも「標準的な人間」のような誤った概念に依存したりもする。

リネット・テイラーが強調しているように、ウイルスの拡散に関して入手できるデータはある意味、感染症が残した痕跡から公衆衛生当局がその影響をどこまで捕捉、測定できるかの表れでもある。[31] これまで見てきたように、なかには使用できないデータや目に見えないデータ、どのように収集、分析、表現されたかが反映されるデータもあるだろう。

つぎの章では、アルゴリズムによる選別の役割をさらにくわしく説明するが、これが基本となる問題だということは強調しておくべきだろう。この問題はほぼ必ず、人によって扱われ方が異なることで基本的な公平性が歪められるという結果に結びつく。クイーンズ大学のノーマ・メラーズが言うように、「アルゴリズムを〝大半の人間はこうする〟というスタイルで作ることとは、常にマジョリティと彼らのものの見方に特権を与え、マイノリティと彼らの見方を無視したり不利益をもたらしたりする」。いくらマイノリティの権利を守るという理想を掲げようと、アルゴリズムがそうした「客観性」を前提にした方法で作られれば、「解決不可能な緊張関係」が生じてしまう。[32] カリフォルニア大学ロサンゼルス校（UCLA）のサフィヤ・ノーブルが「抑圧のアルゴリズム」の出現について語っているのも当然だろう。[33] しかしこの緊張関係にはきちんと向き合わなくてはならない。データは人々がどう扱われるかを定めるのにも役立つからだ。

†データが駆動する不正義

そして残念ながら、これも意外なことではないが、データは「データに駆動される不正義」とでも呼べそうなもの、つまりアルゴリズムの不公正性を助長しもする。人々がアルゴリズムによって、それもしばしば「標準的な人間」という視点に基づいて表現されると、人々は実際にその分析に従って、特定の方法で扱われることになる。中国では、ある人物が色分けされた健康評価に応じてステイホームを義務づけられたら、顔認証カメラでの監視やアパートの窓の外にいるドローンによって、公衆衛生当局のために可視化される。この場合には国家が、下から報告のあった市民の分類に従ってその自由に制限をかけるわけだが、そうした国は他にもいくつかある。

教育分野での例を一つ挙げると、ニューヨーク州の司法試験を受けたアリバルディ・カーンは、エグザムソフト（ExamSoft）の顔認証システムに自分の身元をなかなか認識してもらえず、ひどく苦労させられた。自宅のなかで日光が最もよく差しこむ窓の前に座ったり、はてはバスルームの明かりが反射する白いタイルの上に立ったりもしたという。また、大学の寮の部屋で答案を書こうとするときでさえ、腕を振って自動点灯の照明が消えないようにしなくてはならず、試験の場での不正行為を疑われる恐れがあった。[34]しかし本当の問題は、アルゴリズムが特定の人種的特徴を有利に、別の人種的特徴を不利に扱うように作られがちであること、そしてアルゴリズムを作る当のエンジニアが自身の「人種」に影響されるかもしれないということだ。[35]アルゴリズムは人々がどう表現されるか、ひいてはどう扱われるかに影響を及ぼす。

こうしたシステムは、問題が多々あるにもかかわらず、多くの理由から簡単に廃止することができない。しかし、データの不正義が今日のパンデミックの、またその他のデータシステムの鍵となる要素であるなら、代わりの手段が求められるだろう。これが最終章で取り上げるテーマとなる。しかし当面、問題は多くても、コーク大学ビジネススクールのヴィム・ノーデ[36]のように、不十分なシステムは、たとえ欠陥があろうと、なんらかの利益を生み出すと主張する人たちもいる。医療データシステムの分野には、現在の仕組みに多くの重大な欠点があることを認識し、とくにグローバルな公衆衛生データベースの大規模な再編成を唱える人たちがいる。[37]そしてリネット・テイラーが言うように、本当に必要なのは、いまとは根本的に異なるかたちでデータを制御することなのだが、これは既存のシステムとの関連において答えを出していく必要がある。そしてデータ正義を、コンピュータサイエンス、ソフトウェアエンジニアリング、ＡＩ、機械学習に欠かせない要素と認識されるだけの地位にまで高めなければならない。

もう一つの問題は、どういった組織がデータを扱うかということだ。このことは、監視資本主義のコンテクストでは、それ自体がデータの質にも影響を及ぼすため、とりわけ重要になってくる。カナダでは多くの国と同様、とくにパンデミックに促されるかたちで、「バーチャルケア」サービスが拡大しつつある。たとえば、食料品チェーンのロブロウは遠隔医療の企業に、通信事業のテラスは電子カルテの会社とバーチャルケアのプラットフォーム企業に投資をしている。製薬会社とのパートナーシップも急速に拡大中だ。製薬会社は医療関連機関に直接広告を打つことができ、そのことがあまり適切でない、より高額な薬が処方される結果につながってしまう。[38]

こうした例を挙げてみせたのは、医師であり研究者であるシェリル・スピットホーフとタラ・キランだ。二人はさらに、ヘルスデータが金融資産のように扱われるとき、患者の健康はたやすく二の次になってしまうことも示している。匿名化されたプライマリケアの記録を含むデータベースは価値が高く、ある企業によれば一件あたり三五―三三〇カナダドルの値がつく。このように、目に見えないアルゴリズムの問題に加え、アルゴリズムがどういったコンテクストにおいて作られたかによっても、結果は異なってくる。人々の扱われ方は、彼らがどう可視化され、表現されるかということだけでなく、多くの重要な要因から生み出されるものなのだ。

†蔓延するデータ主義

ゆゆしき問題は、データがどのように使われるかである。もちろんアプリやデバイス、プラットフォームによっても違いは生じるものの、とくに集中的に向き合わなくてはならないのは、人々を可視化し、表現し、扱うためにデータを使用するという根本のプロセスだ。人々が日常生活のなかでどう反応するかも重要になる。社会学における一貫したテーマとは、人々は自分たちが記述、分類、分析されたとき、そうした記述や分類や分析にどのように反応するか、そして、それが元のデータの継続的な精度にどういった影響を及ぼすかということだ。

前に機械学習の落とし穴として挙げた、例の「フランケンシュタインのデータセット」の話に戻ろう。この問題のもとにあるのは、技術の可能性を必要以上に信じ込んでしまうデータ主義だ。この点から、二〇二〇年と二〇二一年にデータ利用が激増したこととともにに、良かれと思って企図されたきわめて多くのプロジェクトにデータ主義が行き渡っていることの理由を説明できるだろう。しかしその結果は、これまで見てきた、データがどのように人々を可視化し、表現し、扱うかの例のように悲惨なものになりかねない。

　現在のビッグデータ分析に基づいた監視が、不平等を強化する方向で行われているという点については、つぎの章でさらに掘り下げていこう。また、多くの国の公衆衛生当局が政府からの圧力を受け、急きょ医療データをプラットフォーム企業へ移行していることが、新たな問題を生み出しつつある。どこの政府も断固とした行動をとっているように見せたいからだが、そのせいで政府が最新のデータ処理方法に依存していることに注目が引きつけられることにもなった。

　つぎの二つの章では、データがもたらす結果について調べていく。だが、そもそもの問題が手っ取り早い応急策を求めることだとしたら、パンデミックの問題や現在の状況から生じてくる問題には、そういった「応急策」は存在しない。最後の第7章ではこの点に立ち戻り、人類がテクノロジーによって限界を超えられると想像することには、根本的な文化的、哲学的問題があるという点を論じていきたい。[39]ここでの基本的な課題が驕りなのだとしたら、フランケンシュタインのデータセットその他を解決する永続的な「ソリューション」は、新たに謙虚さを見いだすことであるにちがいない。

第5章 不利益とトリアージ

Disadvantage and the Triage

†社会的振り分けの手段

カナダのエドモントンで倉庫に勤務するアスリ・ファラーは、通勤の際に自動車に相乗りしていた同僚から新型コロナウイルスに感染した。[1] 保健当局から検査を受けるよう指示されたが、他に手段がなかったため、バス二台を乗り継いで検査に行かざるを得なかった。自宅隔離のあいだは刑務所にいるようで、歯痛になっても治療を受けることもできなかった。カナダへ移住して間もないアスリは、さらに言葉の壁という問題にもぶつかった。世界中のマイノリティグループに属する多くの人たちと同じく、カナダ在住の黒人たちはマジョリティグループと比べ、パンデミックの悪影響を不釣り合いに多くこうむっている。[2] 感染症の症状を訴えて治療を求めることが多く、ウイルスで死亡した知り合いがいる数は他の三倍にのぼる。[3]

だが、悲しむべきことに、話はこれだけでは終わらない。さまざまな種類のさまざまな方法での監視が往々にして、すでに社会的に弱い立場にあるグループの状況をさらに悪化させるのだ。そうした人たちは接触確認アプリなどのシステムで可視化され、表現され、不適切な扱いを受ける公算が高い。しかもこれは他の種類の不利益にもつながりかねない。周縁化されたグループは、不均一なプロファイリングや取り締まりを受けたり[4]、犯罪者扱いされることが多くなるのだ[5]。ユネスコはこの点を認識し、パンデミック中は「弱い立場の人々がさらに弱くなる」と警告している[6]。パンデミックが始まって間もないころに、ルハ・ベンジャミンがすでにこう語っていた。新型コロナウイルス感染症のコンテクストでは、アメリカの黒人がどういった見方、どういった描かれ方をするかに大きな違いが生まれ、従来からある誤った考え方が導き出される。たとえば「貧困の文化」という概念は、黒人がウイルスに感染しやすいことの根本的な責めを当人たちに負わせようとするものだ、と[7]。

何十年も前から監視は、一部の学者や政策立案者や活動家から「社会的振り分け」の手段として考えられてきた[8]。どういうことかといえば、監視は人口全体に関する事実を見つけ出すために行うものであり、その特徴を記すには全体をカテゴリー分けすることになる。要するに、人口全体を異なるいくつかのグループに分類し、それぞれのグループで異なった扱い方をできるようにするのだ。この手法は他にも、警察による容疑者絞り込みのための監視、職場で最も効率よく働いている従業員を見きわめるための監視、最も見込みの高い顧客を最新のサービスや製品の広告のターゲットにするための監視などに当てはまる。

だとすれば、社会的振り分けのプロセスが、新型コロナウイルスのパンデミックを引き金にしたかつてないデジタル監視の急増と関連して起きているのも驚くことではない。

ここで少し視点を変えて、どんな病院でも起こる選別のプロセスを考えてみれば、どういった仕組みが働いているかが見えやすくなるだろう。パンデミックでない時期には、病院の救急外来に行くと、「トリアージ」を経ることになる。当直の看護師が、どの患者が最も緊急に診察と治療を要するかの判断を下すプロセスだ。監視はそれと同じ機能を果たす――人口全体を選別して別々のカテゴリーに分け、それぞれの状態に適した治療を受けられるようにするのだ。

私も数年前に、この処置に感謝したことがあった。冬場のランニング中、隠れていた氷に足を滑らせ、ふくらはぎの部分をらせん骨折してしまい、激痛にうめきながらトリアージの質問に答えようとした。トリアージのプロセスが最もよく、というか公平なかたちで機能するのは、判断を下す基準が誰にでもわかるときだ。しかしこれがきわめて不公平に働くこともある。たとえばオーストラリアやカナダの先住民は医者にかかると[9]、深刻な病気ではなくアルコールがらみの問題だと決めてかかられたりする。ところが今日のパンデミックの世界では、そうした判断基準がアルゴリズムによって覆い隠されているか、あいまいになっているケースが非常に多い。

†不利益の再生産

新型コロナウイルス感染症は、一部の人たちが他と比べて弱い立場にあること、検査や病院での適切な治療、ワクチン接種を受ける機会に格差があることを露呈させただけにとどまらない。パンデミック監視の結果として、治療の内容に格差が生まれ、すでに周縁化されているグループが差別を受けたりもしている。国や地域による差はあっても、これはシステム的な状況だ。そして構造的な不平等や暴力の、さらには新植民地主義や「ディスポーザビリティ」のグローバルな問題でもある。状況認識とは、あるコンテクストのなかで実際に何が起きているかを見つけようとする、こうした試みの重要な一部なのだ。

貧困層や周縁化された層、不可視化された層はどれも、パンデミックではさらに不利な立場になることが多い。最も影響を受けやすいのはマイノリティと貧しい人たちだ。それが起こる道筋は二つある。まず一つは、デジタル監視システムが、一部の市民だけが他よりも有利になるようなかたちで作られているのではないかということ。これまで見てきたように、最もあきらかな例は接触確認アプリで、これは――そもそも役に立つとしての話だが――当のアプリを利用できる新しいスマートフォンの持ち主にしか役に立たないものだ。最新型のスマホが手元にないのは貧困層や不利な立場の人たちである見込みが高いが、このグループにはなんらかの理由でスマホを持ちたくないという人たちも含まれるかもしれない。

もう一つは、接触確認システム自体にもバイアスがかかっている可能性があることだ。そうしたシステムのアルゴリズムは、収入やジェンダー、カースト、階級や人種、民族、出身地などで分けられる特定の人口カテゴリーの人たちに不均一な影響を及ぼすかもしれない。だがこれは接触確認アプリの影響だけではない。パンデミックへの対処のために作られた医療システムの設計そのものが、すでに存在する不利益を再生産したり、深めたりするかもしれないのだ。英国のチューリング研究所のデイヴィッド・レスリーは、「新型コロナウイルス医療の時代に、〝AI〟は不平等を増大させるか」と問いかける。レスリーはこの問いへの答えとして、アルゴリズムのバイアスにとくに注意を払おうとする。[10] それが明確に表れているのが図1だ。

他のコンテクストでも見てきたように、公衆衛生監視における不平等は、ある社会の一部の人たちはスマートフォンを持っていないといったごく単純な要因に関連していたりもする。中国を例にとれば、そうした端末を使っていない高齢者は二億五〇〇〇万人以上と見積もられる。ここで思い出してほしいのが、中国で公共交通機関を利用したり、公共の場所の大半へ立ち入るのに必要な接触確認システム「健康コード」は、スマートフォンな

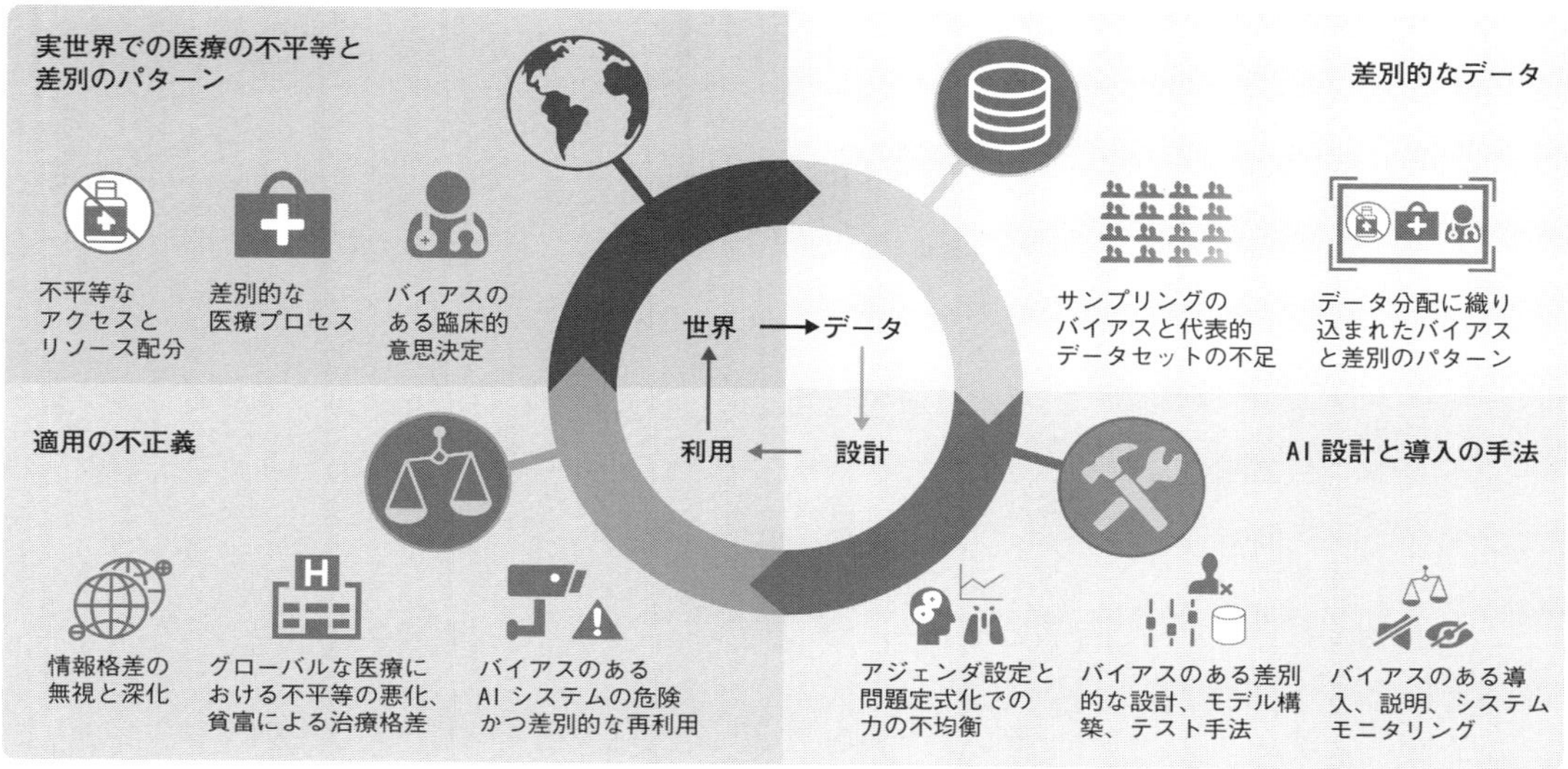

図1　デイヴィッド・レスリーおよび『ブリティッシュ・メディカル・ジャーナル』誌の許可を得て複製、2021年4月

しでは機能しないということだ。二〇二〇年の中国で出回ったある動画には、遼寧省の都市、大連の地下鉄駅に入ることができず、苛立ちのあまり「冷静さを失った」高齢者の姿が映っていた。[11]

また監視が不平等な影響をもたらすといっても、そのすべての側面がデジタルに直接関わっているわけでもない。中国では、もっと従来からあるかたちの政府による行政監視が重要な役割を果たしつづけている。たとえば新型コロナウイルスの「ホットスポット」とされる湖北省や武漢市の人たちは、就職活動をしようとして周囲の感染への恐怖から差別に遭った。イェ・シャオティンという若者はウイルス検査で陰性だったのに、南部の都市、厦門《アモイ》のインターネット技術会社の面接に行ったとき、湖北省からの応募者は受け付けていないと言い渡された。[12]

こうした従来からあるかたちの、雇用元や「都市管理員」によって行われる監視は、国境を越えることさえある。中国の感染抑制策は、私の住むオンタリオ州キングストンにまで及んだ。この街にいる大学院生の両親が、新しい孫の顔を見に中国から訪れてきたときのことだ。その両親の雇用元や都市管理員は、二人がいつまで留守にするかを何度も確認し、帰国の日や旅行スケジュールのデータを求めてきたという。

この章の後半ではそうした問題を検討しつつ、それが世界中の新型コロナ医療にさまざまなかたちで及ぼしている影響を見ていく。まず最初は、パンデミックと公衆衛生の監視に直接関わってくる問題、そして――たとえば中国やインドで――必要とされる接触確認アプリがいかに国民のリスク特性を明るみに出すようなコード化システムに頼っているかといったことだ。しかしまた間接的なかたちで、医療とは無関係な監視が囚人など特定のグループの経験する不利益を強める可能性もある。

同じように、ある特定のタイプの監視が行われないことや、あきらかに無関係な「監視資本主義」による不平等を経験する人たちもいる。それからさらに視野を広げて、別の種類の監視もまた不平等や社会的な不利益に、とくに人種や社会的、経済的階級に沿ったかたちで影響を及ぼしていることを検証する。この点はさらに最後の章までつながっていくが、そこでは何よりも公平性にスポットを当てたグローバルヘルスの議論を求めていこうと思う。

†軽視されるリスク

周知のとおり、今回のパンデミックはさまざまな社会的不平等を露呈させているが、パンデミック以前の多くの「通常の」状況のなかにどういった不公平が隠れていたのか、そのことを世界中で顧みる作業が行われている。しかしパンデミック関連の監視もまた、いまのこの状態に一役買っている。それは、パンデミックの不均一な社会的分布に関して何をあきらかにしていないか、そして監視がどのように歪められて不公平な社会的結果を生み出しているかという二点においてだ。その影響としては、中国の「健康コード」やインドの「アローギャ・セツ」といったアプリのように直接的なかたちをとったものもあれば、間接的なものもある。

新型コロナウイルスのパンデミックは、世界のグローバル化によって生み出された恐ろしい悲劇だ。この本を書いている時点では、世界全体で三五〇万人近くの死者を出したばかりか――これは実際の数字より少ないという意見も多い――社会の発展を阻害し不利益を深めている。インドでは二〇二一年三月、死亡率がついにアメリカ（人口はインドよりはるかに少ない）を上回った。[13] だから感染拡大を抑える手段を見つけようとする努力は十分理解できるし、最優先事項とするのもまったく当然だろう。しかし人類が繁栄するには、ただ健康であることだけが優先されるわけでないのも確かだ。すべての人が健康でいられるように、公平さと適切さが求められる。だが、そのためにどういった手段をとるかが結果に影響を及ぼすし、その結果も社会的グループによって大きく異なってくる。そして歴史的に存在した差別はさらに強化される。[14]

これまで見てきたように、データの利用、データに関する前提が問題を生み出すというのも難しい点だ。世界中の政府が全人口レベルのデータを作り出し、それに対処できる政策を策定しようと懸命に努めている。一般の市民はデータ分析に伴う難題のことなどめったに耳にしないが、これはたしかに存在する。そして必ずしもすべての国で同じようには扱われていない。リネット・テイラーが言うように、「新型コロナウイルスは、他のあらゆる危機と同様……不平等、放棄、周縁化の断層へと潜り込み、エッセンシャルなサービスへの財政支援が足りないこと、わかっていたはずのリスクへの配慮が足りなかったことを露呈させている」[15]。

そしてリスクには、ウイルスの感染レベルといった知覚されるリスクだけでなく、あれやこれやの特定の人物ないしグループに及ぶ現実のリスクもある。そうしたリスクは社会経済的要因、地理的な位置、そしてまちがいなく人種の区別にも大きく左右されるものだ。たとえば二〇二〇年三月、ニューデリーでイスラム教団体「タブリーギ・ジャマート」の集会が行われ、外部から大人数が集まったが、その後インド政府は、ウイルス拡散の責任をこの団体に負わせた。だがこれは、他と比べてこのグループにだけ過剰に検査を行ったこと（ある専門家は「サンプリングエラー」と評した）、そしてソーシャルメディアによる噂の増幅が重なったことが原因だったと思われる[16]。

†感染リスクの不均衡

こうしたデータの取り扱いによって、何があきらかにされ、何が隠されるかは重要なことだ。かつて流行したウイルスと同じで、人口のなかのあるグループが他のグループより感染しやすい傾向にある。多くの国で見られるように、「最前線」の医療従事者やエッセンシャルワーカー、たとえば店舗や倉庫に勤務する人やギグワーカーたちが大きな打撃をこうむる。

また、しばしば女性が最初に影響を受ける。女性の仕事は目に見えず、非正規であることが多いためだ。ついでそれ以外の低所得労働者、高齢者——とくに長期介護を受けている人たち、低所得の賃金労働者、囚人、難民、移民、とリストは長々と続く。共通する特徴としては、こうした人たちは家庭で安全に閉じこもっていられる人たちよりウイルスにさらされやすい。課せられた仕事や責任、どうしても接近せざるを得ない事情——たとえば長期療養施設内で人が密集する——のために、感染を回避することははるかに困難になる。あきらかにパンデミック監視は交差的に——つまり日常生活のいくつかの側面にわたって、深くジェンダー化されているのだ。

囚人に関していえば、パンデミックへの対応を目的としたシステム以外に、バイアスのあるアルゴリズムを用いた別のシステムが使われたせいで、感染リスクが高まるということも起こりうる。アメリカでの一例は、「パターン（PATTERN）」という受刑者のリスク評価ツールだ。これは受刑者のうちの誰が再犯の可能性が高いかをアルゴリズムによって判断するもので、現在はどの囚人を収監から自宅拘禁に切り替えさせるかの判断を下すのに使用されている。ところがこのツールには人種的バイアスがあり、黒人が刑務所に留められるケースがぐっと多くなるために、矯正施設内でウイルスにさらされ、感染率や死亡率が高くなることがわかった。[17]

　貧困国では往々にして、状況は豊かな国よりずっと悪くなる。この場合に問題となるのは、パンデミック監視におけるデータの偏りではなく、「データ格差」であるかもしれない。ステファニア・ミランとカーディフ大学のエミリアーノ・トレーレが示しているように、[18]グローバル・サウスのコミュニティの多くは「陰に隠れて」いて、統計の数字には表れないか、わずかに表れるだけだ。弱い立場にいるグループは、通りいっぺんのモニタリングのせいでより目に見えなくなり、その立場はさらに悪化して、支援を受けにくくなる。そしてモニタリング能力の低い政府は、政策を決めるのに他国のモデリングや予測を使うこともあるが、これは実情への認識を弱め、とくに困窮した人たちが注目を浴びる機会をさらに減らすことになりかねない。

信頼できる情報が不足すると、右派の政府でも左派の政府でも、国が誤った情報を流すという事態が容易に起こりうる。たとえばメキシコのロペス・オブラドール大統領は、パンデミックのあいだも市民は「普段どおりの生活を続ける」べきだと断言したし、ブラジルのボルソナロ大統領は、パンデミックへの不安を集団「ヒステリー」だと切り捨てた。[19]痛ましいことに、この二国はこれまでのところ、ラテンアメリカで最も感染状況が悪くなっている。二〇二一年五月中旬までに、ブラジルの死者数は五〇万、メキシコは二二万を超えた。[20]その一方で、グローバル・サウスであれグローバル・ノースであれ、周縁化されたグループの不可視性は、特定の個人だけでなくそのグループが属するコミュニティにも影響を及ぼすものだ。

†デジタル技術が助長する排除

インドはとくに新型コロナウイルスの打撃が大きかったが、ここでもやはり、パンデミック監視の問題は際立っている。今回の感染拡大への対応は、おおむね「アドハー」のシステムをもとに策定された。アドハーは二〇〇九年の開始から急速に全国へ拡大されたデジタルIDプラットフォームで、生体データを使って市民を集中管理されたシステムに登録するものだが、こうしたシステムとしてはいままでのところ世界最大のものだ。[21]これは

PDSという、最貧層が基本的必需品を確実に入手できるようにするための大規模な公共配給制度と連携している。その一方で、政府が感染対策として人口の移動を要請し、大都市の労働者が出身地の村に帰るなどしたために、生存に必要な手段からさらに遠ざけられることになった。さらに、POS（販売時点情報管理システム）の機器――これで生活必需品が受け取れる――の一部が感染への不安から停止されたため、日雇いの労働者たちは不安定な状態が続いている。[22]

インドとアドハーの問題は、パンデミック中の接触確認や食品供給の不安定の増大にとどまらない。二〇二一年初めには、新型コロナウイルスのワクチン接種に備えて、さらに数百万人がアドハーに登録した。[23] しかし二〇二一年四月にアドハーは、顔認証技術（FRT）を用いた「新型コロナウイルスワクチンの非接触配送システム」を導入するという国家保健局の計画に関与した。この措置に反対する人たちが抱く最も大きな懸念は「排除、および結果的に生じる差別」だ。[24] 反対の声をあげる一〇の団体の代表は、アドハーの生体認証システムが排除を引き起こし、ひいては餓死者さえ出しているのに、信頼性のない――このコンテクストにおいてはテストもされていない――FRTシステムはさらに無用な排除を生み出す恐れがあると主張している。

これ以外に、多くの国であきらかに見られる社会階級、つまり貧富の差からくる医療の差別化がある。アメリカではしばしば急患が救急外来に運び込まれる前に、救急隊員が患者の財布を調べ、必要になる処置に保険が適用されるかどうか、あるいは最寄りの病院で受け入れられるかどうかを確認する。[25] アメリカ人の数百万人（二〇一九年時点で一七パーセントにのぼる）は保険に未加入で、メディケイド〔政府による医療扶助制度〕に頼っている状態だ。ミルカ・マディアノウが指摘するように、[26] 今回のパンデミックの影響を、たとえばエボラ出血熱のような他の感染症や、二〇〇五年にニューオーリンズ周辺で一八〇〇人の死者を出したハリケーン・カトリーナ、フィリピンの台風ハイエンなどの「自然」災害と比較すると、こうした出来事は常に貧しい層に最も大きな影響を与えることがわかる。この傾向はいまデジタル技術の利用によってさらに強まっている。

マディアノウも言うとおり、今日のコンテクストで影響を及ぼすもう一つの要因は監視資本主義だ。これがさらにパンデミックによる不利益の拡大につながっている。第3章で見たように、パンデミックを機にかつてないほどのデジタル技術への移行が起こり、それは医療上の「ソリューション」だけでなく、仕事や学校での授業、買い物、人間関係にまで及んだ。これはつまり、政府がパンデミックを制御すると強調されるのと同時に、利益を得ようとする圧力も強いということだ。監視資本主義の果たす役割はどんどん大きくなっている。スマートフォンやタブレット、ノートＰＣを用いる毎日の取引や通信から営利目的でデータを抽出することが、世界一、二を争う裕福な企業に代表されるプラットフォーム・ビジネスの背景にある[27]。

監視資本主義は力を増すにつれ、政府と連携してパンデミック時の支援を提供するようになる。たとえばアップルとグーグルが組んで公開した、Bluetoothによる接触確認アプリのインタフェース、APIを考えてみるといい。こうした官民のパートナーシップを通じ、政府と企業の結びつきは強化されていく。これは政府が「何かしら手を打っている」という空気をかもしだすのに役立つと同時に、多くの政府がパンデミックへの準備を怠っていたこと、そもそも適切な公的医療を密かに縮小させた結果としてパンデミックの影響の不平等性を助長したことから注意をそらしもする。

それにまた、技術的な「ソリューション」がこれほど早くどこから現れたのか、という疑問も出てくるかもしれない。その答えは、「デジタル監視の疫学的な転換[28]」は数年前からあきらかになっていたのだが、パンデミックでその出番がきたということだ。リネット・テイラーらが言うように、いくつかのシステムはすでに開発や人道支援のために使われていたが、新型コロナウイルス感染のためにあらためてパッケージされたのだった[29]。もっとも、大手企業から生まれてきたものも他にある。政府の構想と監視資本主義の結びつきは、パンデミックという現状によって強化され、現在の危機が収束したあともなかなか崩れないかもしれない。

†くり返されるパターン

パンデミックに苦しむいまの世界では、励ましのつもりで、よくこんな文句が使われるのを耳にする——「私たちはみんな一緒」。もちろん正当な連帯の呼びかけだし、そのことに異議はない。しかし私たちはみな、何かしらのかたちで影響を受けてはいるだろうが、実際には誰もが一緒であるわけではない。実のところ、私たちがどうしていまの状況下に置かれているかは、多くの要因の結果である。パンデミックは「すべてを平等化するもの」というにはほど遠い。ネガティブな話をすると、監視も含めたいくつかの要因は、人口のなかのさまざまな違いを無視することで、これまで見てきたように、周縁化されたグループ、たとえば高齢者、非白人、社会経済的に低い地位にある人たちのリスクを過小評価してしまう。そしてさらに悲しむべきなのは、これが歴史的に何度もくり返されるありふれたパターンだということだ。[30]

この事実を知る一部の学者たちは、こう主張している。問題はいま行われているウイルス感染の監視や報告のもとになった集計値が（またしてもデータだ）、根底にある不平等を覆い隠してしまっていることだ。[31] この章の前半で触れた要因に加えて、少数民族や不利な立場にある人たちは、「慢性的な複数の疾患」にかかることが多い。要するに、いくつもの病気を長患いするのだ。こうした人たちが現在の医療システムで十分な治療を受けられる見込みは低い。また、特定のマイノリティグループでは、パンデミックへの誤解や誤った情報がろくに訂正されずに広まり、現状を正確に把握する機会が減ってしまっている。そう言う学者たちは、あるデータ面でのソリューションを提案してもいる。それは報告の際の数字を細かなカテゴリーにまで分けること、少なくとも高齢者、社会的に周縁化された人々、非白人を別々に扱って、その不利な立場を際立たせることだ。

だが、こうしたソリューションの提案には、それ自体に問題があるかもしれない。これを採用することは図らずも、人種の生物学的な理解を正当化することになりかねないからだ。またそれは、さまざまな種類のエッセンシャルなサービスに従事するマイノリティの悪い労働条件を理解しようとするのでなく、結果としてパンデミックに人種差別的な対応をする機会を生み出すかもしれない。残念ながら、クイーンズ大学のサチル・シン[32]が示すように、人種データが医学的状態や治療と関連づけられた場合、多くの医師が症状や特定の家族歴に注目するのでなく、患者の疾患を人種に起因するものとみなすという証拠がある。こうしたデータを収集するのであれば、最新の注意を払ってアナリストにそのリスクを認識させるようにするべきだ、とシンは警告する。簡単な答えはまだどこにもない。

†パンデミック監視と植民地主義

他の状況では、パンデミック監視があからさまな人種の区別に基づいた方針で行われることもある。イスラエルとパレスチナの場合をとってみると、イスラエルの治安諜報機関シンベトが、民主的な投票を経ることなく政府の認可によって、パンデミック初期に開発された接触確認システムを運用する権限を与えられた。イスラエルはパンデミックに対して断固とした対策をとったということで、多くの国で称賛されている。まずロックダウン、ついでごく効率的なワクチン接種プログラムを実施した結果、感染者数の大幅な減少を受けて早期の経済再開が可能になった。

ところがこの記録はイスラエル――および絶えず拡大するその不法入植地――に限ってのもので、パレスチナには当てはまらない。パンデミック以前からイスラエルに封鎖されていたガザ地区、そしてヨルダン川西岸で、とりわけベツレヘムのアイーダなどの難民キャンプや混雑したガザの街のなかで、パレスチナ人ははるかに困難な環境に置かれている。そしてこうした状況すべてが、二〇二一年五月に勃発した醜い武力衝突のせいで悲劇的なまでに悪化したのだ。

占領国は被占領地に住む人々が健康に暮らせるようにしなくてはならない。国際法でそう定められているにもかかわらず、不平等な扱いはなんら新しいものではない。パレスチナ人による長年の闘争が影響を及ぼしていることは、秘密警察の治安諜報機関であるシンベトが接触確認システムの運用に動員されたことでもあきらかだ。この件は法廷で争われ、最終的には中止になった。[33] シンベトの存在自体、パレスチナ人がイスラエルの「脅威」であるという前提に立ったもので、そのために多くのユダヤ系イスラエル人はシンベトが感染症対策に協力することを黙認していた、自分たちがシンベトの標的になることはないとわかっていたからだ、と比較社会学者のシャウル・デュークは指摘する。[34] この組織はいまだに抑留されたパレスチナ人への拷問を行い、子どもを拘束し尋問しているが、イスラエル人の多くはそのことを知らないか、あるいは受け入れているようだ。

しかし植民地的な関係性は、イスラエルの植民地主義だけにはとどまらず、はるかに広く世界中へ広がっている。アル＝アハワイン大学のアフメド・カベルとコペンハーゲン商科大学のロバート・フィリップソンは、[35] アルベール・カミュの『ペスト』についての考察で、人道主義的なカミュは小説のなかでアルジェリアという国を描きながら、あの国の植民地的側面をほとんど認識していなかったと述べている。植民地主義は当地で疫病がどのように扱われるかに大きな影響を及ぼす。カベルらの懸念は、「大惨事の制度的座標」が、当時のように今日でも、「みんな一緒」などという修辞に頼ることでたやすく無視されてしまうことにある。「資本主義によるディスポーザビリティ」という概念は、階級の関係だけでなく、ジェンダー、人種、民族の区別によって不安定にさせられたオンラインでの暮らしにも関係してくる、とカベルらは論じる。植民地化された環境にいる先住民は、「ウイルスの猛威に対してきわめて弱い状態にある」のだ。

カベルとフィリップソンが注目したのは北アフリカだが、植民地的状況は世界中の国々に存在していることを思い出さなくてはならない。アジアやラテンアメリカでも、オーストラリア、カナダ、ニュージーランド、アメリカといった、いわゆるグローバル・ノースでも同じことだ。先住民はみな、公衆衛生関連のものも含めて、監視データが悪用されうることを経験的に知っている。ある学者グループが指摘しているように、「ジェノサイドや人種差別に関連した制度的な政策、そして歴史的かつ継続的な周縁化により、先住民の新型コロナウイルス関連のデータの質、量、アクセス、使用には数々の制約が生じている」[36]。データが有益にも有害にもなりうること、先住民が自らのデータの利用に際して果たせる役割からしばしば排除されていることが、公正かつ適切な監視の大きな障害なのだ。

こうして「ディスポーザビリティ」、つまり「使い捨てにできる」という概念が、この章でおもにフォーカスしてきた数々の不利益の頂点に現れてくる。ここでももちろん重要なのは、現在の状況がいかに過度の無責任な監視を可能にするかという点だけでなく、誰がその影響を最も強く受けるのかということだ。誰が生き、誰が死ぬかを、誰が決めるのか。アキーユ・ンベンベはこうした「ディスポーザビリティ」の観点から「ネクロポリティクス（死政治）」という言葉を造語した。ンベンベが主張するように、人種はしばしば監視という権力の、とくに「外国の人々」に及ぼす死の力の焦点となる。[37] このことから気づかされるのは、監視研究できわめて重要な部分とは、感染症そのものがもたらす不公平な影響だけでなく、それに関連して行われる監視が生み出す不公平な影響をも考えていくということなのだ。

二層化する世界?

だがこの章を締めくくる前に、そしてつぎの章で新たな「パンデミック監視国家」と呼ばれるものを検討していく前に、パンデミック監視の最も新しい局面である「COVIDパスポート」という火種についてざっと見てみよう。これは「免疫パスポート」とも、何やら意味不明な「グリーンパス」といった名前でも呼ばれるもので、ワクチン接種をひととおり終えた人たちが携帯できるようになる証明書だ。これがあれば公共の場所や公共交通機関、国外旅行に出る飛行機に乗り込んでもいいことを証明できる。このときに求められるのは、ヘルスデータと個人識別データのほか、QRコードなどのかたちで接種証明を提示できる「デジタルウォレット」である。[38]

こうした技術革新によるプライバシーやセキュリティへの懸念、さらには不公平感、差別、排除、スティグマ化などの問題もある。もちろん、旅行業界は人々がまた移動するようになってほしいだろうし、観光に依存する経済は真っ先に旅行客に対して門戸を開きたいだろう。しかしデジタル・アイデンティティを扱う企業も自分たちの居場所をぜひとも確保したいと思っている。生体認証サービスに関与する企業は、とくに9・11以降は非常に積極的だったが、[39]いまならそれに加えて顔認証技術を提供したり、必要なソフトウェアを実行する実験的な手段としてブロックチェーンを提供したりできるだろう。

しかし他にも重要な疑問がある。「免疫」パスポートの考え方では、そのパスポートを持っていれば「安全」だということになるのだが、この単純な二分法にはたくさんの微妙なニュアンスが隠れている。まず一つ、ワクチンの効果がいつまで続くのかは、現時点では誰にもわからない。ここでいえるのはあくまでも安全だろうという「傾向」である。これはごくあいまいな区別であって、断じてくっきりした線引きではない。そしてこういったパスポートを使えば、どこまでの活動が許されるのか。旅行か。公共イベントへの参加か。雇用機会にはどのような影響があるのか。専門家たちがどんな疑問を発しても、何より重要な問いかけは、ワクチンパスポートを使うことでさらに悪化するかもしれない不平等に関連するものだ。[40]
大きなリスクだと思えるのは、英国の平等人権委員会[41]が指摘するように、社会がまたしても分断し、「二層構造社会」がつくりだされることだ。いわゆる「ワクチン忌避」の裏には、過去の経験からくる不信感、副作用のせいで仕事を休むことになったり予想外の医療費がかさんだりするかもしれないといった不安など、さまざまな理由がある。ワクチンパスポートは、ワクチン接種を国民全体に広めるときの難題から注意をそらせ、ワクチンを接種した人間（欧米社会では一般に裕福で、また白人が多い）が未接種の人たちから自分を遠ざけることができ、結果的にワクチン接種が国民全体に均等に行われる可能性をさらに低下させるように働きかねない。
あるいは、世界が二層構造になりはしないか。EUや特定の多くの国がワクチンパスポートを計画することで、問題はグローバルな公平性に関わる意味を持つものになっている。ワクチンを入手できる国は有利になるが、それはおおむね豊かな国に該当する。低所得の国々、たとえばサハラ以南のアフリカ諸国は、十分なワクチンが利用できるようになるのに何年もかかるかもしれない。実際にWHOにはそうした貧富の差を埋めることが目的のCOVAXというスキームがあり、すでにガーナとコートジボワールへの供給を始めている[42]。だが、その真価はまだ示されていない。

スティーブン・スラッシャーが『サイエンティフィック・アメリカン』誌に寄せた記事が、より的を射ているように思える。ワクチンどうこうより、ワクチンが世界に公平に行き渡ることのほうがずっと重要だ、とスラッシャーは言う。そしてその徴候をすでに見て取っている。二〇二一年五月初めまでに五億本のワクチンが供給されたが、まだ七〇億人以上の人たちが待たされている。にもかかわらず二〇二一年二月、一部の富裕国の政府は、「新型コロナウイルスのワクチンおよび医薬品の知的財産権を放棄し、グローバル・サウスの国々が可能なかぎり早く製造できるようにする」という世界貿易機関（ＷＴＯ）の計画に反対を表明した。[43] 約束された「正常への回復」が魅力的なのは特定の階級だけにとってだけなのかと、そう考えたくなるのも無理からぬところだ。

†データ正義という視点

この章では、パンデミック監視がどのように社会的な不利益を拡大するか、またそれがいかに資本主義的、植民地主義的コンテクストのなかで、階級、人種、ジェンダーなどのごくありふれたものに沿って進んでいくかを掘り下げてきた。それは情報提供者や「都市管理員」といったごく基本的な技術的ではない手段から、高度に洗練されたデジタル技術のシステムまで、さまざまなものを介して行われている。パンデミック監視の不平等と不公平は複雑かつ多種多様で、ごく広いレベルでは歴史的な不正義が、より最近でいえばデジタルデータの収集、分析、使用が不十分なことが根底にある。これらはまた、とくにパンデミック中に盛んになった官民のパートナーシップに見られるような、監視資本主義の台頭などの最近の動きとも関連している。

とにかくあらゆる部分が不十分なために、データの収集や取り扱い、分析、使用にはもっと注意が必要だし、「データ正義」を追求し確立していくという視点も求められる。リネット・テイラーはこれを、「人々のデジタルデータが作り出された結果として、その人々がどのように可視化され、表現され、扱われるかというところでの公正さ」とみなしている[44]。いうまでもないが、これは「プライバシー」や「データ保護」といった概念のみに基づいた説明とは大きく異なる。むしろ市民と国家の関係はどうなのか、そして私たちがたがいにどう生きるかという問題を前景化させるものだ。またそこには、デジタルへの、そして監視資本主義への移行が単に「技術的」なものではなく(「技術的」なるものがそれだけで存在するかのような言い方だが、そういうものが独立して存在しないことは明白だ)、新たな倫理的、批判的な思考と行動が、さらに適切な抵抗が必要になってくるという認識がある。

前にも述べたように、人類の繁栄は「健康」といった一つの特徴ではなく、いくつかの相補的な特徴、たとえば政府による過度の統制からの自由、生きるために必要な基本的資源である食料や住居、人間関係への十分なアクセスなどによって定義されるものだ。監視が単に技術的な、あるいは法的な側面との関連でのみ捉えられることがあまりに多すぎる。監視がひときわ目立つようになっている今日、それは生活機会《ライフチャンス》やいろいろな選択の際の決定に役立てられるように、人類の繁栄という観点から評価、判断されるべきだし、そのためにはまずデータ正義の部分から始めるのがいいのではないかと思う。

しかし、データ正義と人類の繁栄をいかに追求するかという問題を公共の場で適切に議論すること自体が、多くの国で危機的な状況にある。これまで見てきたように、世界各国の政府もまた、良くも悪くも現在の状況に加担している。そして多くの人たちが、たとえばパンデミックに促された監視体制は、ＷＨＯがパンデミックの終息を宣言したあとも維持されるのではないかという恐れを抱いている。政府と企業の新たなパートナーシップがパンデミック以後の世界でさらに拡大することを懸念する声も多い。だから私たちは、パンデミック以後の世界がどう変わるかを想像して結論を出してしまう前に、パンデミックを機に生まれた監視国家と見られるものがどんな新しい役割を果たすかに注目しなくてはならない。

第6章

民主主義と権力

Democracy and Power

†監視国家への懸念

二〇二〇年から二〇二一年にかけて、世界中の企業や政府が新型コロナウイルスと戦うための緊急対策に取り組んだ。グアテマラでは軍が、イスラエルでは治安諜報機関のシンベトが動員される一方、公衆衛生上のルールの遵守を徹底するために警察を配備する国もあった。[1]顔認証技術やドローンは監視に不吉な側面をつけ足し、そこまで大っぴらでない監視のための新たなデータ使用を可能にするため、また人々を自宅やコミュニティに閉じ込めるための法律や規制が急きょ制定もしくは変更された。

こうした手法が以前から使われていた例もあるが、ほとんどの場合、人々は困惑しうろたえているうちに、権力が馴染みのない、あるいは強められたかたちで行使されるという思いがけない状況に置かれていた。台湾や南アフリカなど、[2]一部の国では断固とした行動がとられ、失敗もあったものの感染の抑制に役立った。しかし多くの国では、市民が「ショック・ドクトリン」[3]の影響下に置かれた。そのなかで国家の非常事態は緊急の行動を促すだけでなく、権力を獲得または強化し、民主主義を歪める機会として利用されている。

世界中に共通する懸念は、こうした事態が行きすぎて、「監視国家」を強化したいという誘惑に抗えない勢力が出てくるのではないかということだ。『エコノミスト』誌は、「すべてが統制下にある。COVID－19国家だ」と警告を発した。[4] しかし今日のパンデミックの状況では、ショック・ドクトリンは政府だけでなく、民間企業のものでもあることを思い出す必要がある。国家が市場に力を与え、そしてデジタルの世界では市場がしばしばハーメルンの笛吹きの役割を果たす。プラットフォーム企業の力は恐ろしく増大していて、その役割を各国の政府と並べて考えなくてはならないほどだ。

アップル、フェイスブック、アマゾン、グーグルなどの企業は、欧米社会でのパンデミックに大きく関与している。たとえばグーグルとアップルのAPIを思い出してほしい。こうした連携は以前からしばしば働きかけられていたもので、なかには企業が自国に経済刺激ももたらすことを期待して歓迎する政府もあった。

企業と政府の連携にも、かなり疑問視されるところがある。たとえばマサチューセッツ州では、新型コロナウイルスの濃厚接触者にアラートを発する「マスノーティファイ(MassNotify)」という取り組みが行われたが、これにグーグルが果たした役割を取り上げてみよう。グーグルはマサチューセッツ州公衆衛生局に協力しながら、この追跡アプリを黙って、ユーザーの同意も得ずにすべてのアンドロイド端末にインストールしたらしい。

このアプリは技術的にもPRの面でもいくつか不備があったが、最大の欠陥は透明性をまったく欠いていることだった。[5]

その一方で、アリババ、テンセント、バイドゥといった中国のプラットフォーム企業も、国内でそれぞれの対応策を展開した。これらはすべて、中央政府とのパートナーシップで運用されている。たとえば医療面では、アリババがAIコンピューティング機能を研究機関に提供してウイルスの遺伝子解読を支援し、ファーウェイの「ウィーリンク（WeLink）」やテンセントの「ウィーチャット・ワーク」はリモートワークに活用された。[6] こうした中国の取り組みの影響は、欧米の場合と同様に、他国へも波及している。その基盤となったのがすでに存在していた「一帯一路」プロジェクトだ。これは東南アジアや東欧、アフリカの航路や特定の陸路に沿ってインフラを構築しようとする大計画で、そこにはスリランカやマレーシアなどの国だけでなく、パキスタン、ラオス、モンゴル、ジブチといった世界最貧国も含まれていた。[7] 緊急事態が反自由主義的で民主的とはいいがたい統治の口実となり、東西の両方で権威主義が拡大し、市民的自由が失われることを多くの人たちが恐れている。

この章で取り上げるのは、民主主義と権力である。表題に直接的な「監視国家」という言葉を使うのをあえて避けたのは、今回の新型コロナウイルス感染症は、監視資本主義のコンテクストにおいて初めて発生したパンデミックであるからだ。[8] もちろん国家権力はきわめて重大なものだが、いまは国が単独で力を振るう場面はぐっと少なくなった。国家の力と企業の力がかつてないほどに連携し、パンデミック監視という状況を生み出す。どちらの側面もそれぞれに民主主義に対する難題をもたらし、それが合わさって影響力は恐ろしいほどのものになっている。

この章には一つ、注意書きも加わっている。本書のような緊急対応として書かれた本では、あらゆる証拠が出そろう前に議論を一般化してしまうものだが、それでも私としては、すべての政府や企業が等しく非民主的だとか、同じ熱心さで権力を求めているといった印象を与えたくはない。世界中の政府は実にさまざまで、パンデミックに対する姿勢も独裁的な独断専行からセンシティブで十分な情報に基づいた対応までのどれかに当たっているが、それはとりわけ監視の体制や技術に反映される。これから見ていくように、一部の国の市民は他に比べて、より自らが参加しやすい関係を政府とのあいだに築いていたりもする。

まず最初に、WHOからおおむね賢明なアドバイスがあるにもかかわらず、パンデミック監視のスキームを「緊急に」策定するのか、それとも「性急に」なのかという問題への論評から始めよう。二番目に、監視資本主義とパンデミックの力が果たす役割は無視できないほど大きいため、その両者の関係についてもう少し検討する。三番目に、政府の無能と無責任な姿勢が不要な、あるいは過剰な監視につながり、人権侵害をもたらし市民的自由を縮小させてしまったこと。四番目に、この本を書いている時点で起こりつつある問題、たとえばワクチンパスポートといった事態の本質から目をそらさせる手段となっているものに疑問を呈していく。そして最後に、パンデミック監視には期限切れ《サンセット》がくるのか、それとも9・11以後のように、疑わしい監視体制という大きな遺産がつぎの世代に残されるのかという重大な問題に取り組んでいこう。

†見切り発車の構想

パンデミックの発生には断固とした対応が求められる。ウイルスは急速に感染拡大し、放っておけば厖大《ぼうだい》な苦痛と死をもたらすうえに、「通常」の生活を長期にわたって破綻させ、昔ながらの生活のパターンをおそらく永続的に変えてしまう。ウイルスが確認されると、数々の国際機関、とくにWHOはその責務どおりに、ウイルスの性質についての助言やとるべき行動についての指示を発した。もちろんそうした機関が、世界中のすべての国に対して、自分たちのアドバイスや指示に従うよう求めることはできない。それぞれの政府がそれぞれに異なった歴史や文化、政治的信念に応じて、異なった対応をとる。だが、十分な準備と行動をしそこねたときの代償は大きい。

たとえばインドでは、二〇二〇年一月三〇日に新型コロナウイルス感染症の第一例目が出た。三月一一日にWHOがパンデミックを宣言したときの対応は、保健当局が、新型コロナウイルスは「公衆衛生上の緊急事態ではない」と明言する程度のものだった。ところが三月二四日になって、ナレンドラ・モディ首相が突然、一三億六〇〇〇万人の国民に向けてメッセージを出し、いまから四時間後に全土をロックダウンすると発表した。すると貧困層の都市部から大量流出が起こった。雇用主や家主から締め出された人々が、場合によっては数百キロ離れた出身地の村や町へ向かって歩きはじめたのだ。

彼らは警察からひどい扱いを受け、やがて押し寄せる群衆がウイルスを拡散させるのを恐れて、州の境界には急きょ守備隊が配備された。人々はそこで追い返され、結局あとにしてきたばかりの街の外れで悲惨な野宿をせざるを得なくなった。その結果はどうか。作家で活動家のアルンダティ・ロイの指摘によれば、推奨された物理的な距離がとられるどころか、「考えられない規模での物理的圧縮」が起こった。[9] 中央政府の対応についても、ロイは肯定的なことはほとんど言っていない。政府がのちに、接触確認アプリの義務化についてのまぎらわしく物議をかもすメッセージを発したことに対してもである。それでも一部の州政府が、労働組合や緊急物資を分配する団体などとともに、今回の事態の本当の危険性を強く認識していたことはロイも認めている。こうした事情はブラジルにも、そしてアメリカにもたしかに当てはまった。

それから一年以上たったころ、インドが再びニュースの話題になった。感染率と死亡率が恐ろしく上昇し、火葬施設のなかには遺体が殺到して処理が追いつかなくなるところが出てきた。デリーの火葬施設の一つ「ドワルカ・セクター24」では、二〇二一年四月一九日から四月二九日までに四一三体の遺体が荼毘《だび》に付された。死亡者数が急増するにつれ、ペット専用になる予定だった火葬場は、地元の駐車場とともに、人間の遺体用として再指定せざるを得なかった[10]。この本を書いている時点で、インドの新型コロナによる死亡者数は三九万二〇〇〇人を超え、世界第三位となったが、その多くは新しい変異株によるものだ[11]。

インドでの対応と、比較的所得の高い台湾での対応を対比してみよう。二〇二〇年一月二一日に出た感染症の第一例目は、武漢での教師の仕事から帰ってきた五〇代の女性だった。台湾は中国からわずか一三〇キロの位置にあり、二三五七万人を抱える人口密度の高い島国だ。強力な公衆衛生システムを備え、二〇〇三年に発生したＳＡＲＳの経験もあって準備もできており、いち早く感染に対応した。台湾の誇る疾病管制署が中央感染症指揮センターとともに、パンデミック管理のための行動を開始したのだ[12]。

ただちに、まず武漢から、ついで中国全土から、最終的には全出発地から来台する乗客すべての検査を行った。それ以外の監視に関しては、感染症管理法によって旅行履歴と国民健康保険証を結びつけられるおかげで、病院がリアルタイムに患者を特定できた。さらに個人の電話と政府が支給した電話が隔離のモニタリングに使用された。[13]

英国でも早くから「テスト&トレース」というスキームができていて、インストールしたアプリから、感染者が接触状況に関する個人的なデータをオンラインフォームに細かく書き込むよう求められた。[14] 最初のアプリはその後、二〇二〇年九月にグーグルとアップルのAPIをもとに作られた別のアプリに置き換わった。中国の「健康コード」に似たもので、ユーザーは登録した場所でQRコードをスキャンできる。だが二〇二一年三月、もともとのテスト&トレースから始まった数十億ポンドのスキームは、パンデミックを抑制しロックダウンが行われるのを防ぐうえで何かしら役に立っているという証拠が見られない、と論評された。[15] それに対してある調査記事が、新しいアプリそのものは成功していると反論した。興味深いことに、この記事にはこんな指摘もある。人々のアプリの使い方が好結果につながっているのではないか――つまりこのアプリを持ち歩いているからこそ、他の人間に近寄らないようになるのだ、と。[16] 自己監視というものがこのストーリーの一部なのかもしれない。監視に人間が関わることで効果が生まれることを的確に思い知らされる話だ。

†性急な監視技術の導入と混乱

こうした多くのシステムの問題点は、準備が不十分なまま採用されたことにある。識者たちが言うように、こうした監視のためのデジタル技術は「適切な影響評価やステークホルダーとの協議、評価もなく、その場しのぎで導入された」[17]。いまでも同じように、政府は自分たちが何かをやっているという感じを出そうと懸命なのだ、政府による監視を常態化する機会に乗じようとしているのだという危惧がある。過去の歴史、とくに9・11以降の歴史を見れば、こうした危惧を持つのは当然だとわかる。あの当時、人権はしばしば踏みにじられ、監視は均一でなく、おもに弱い立場にある人々に影響を及ぼしていた。そうした報告は当時もその後も、多くの国で多くの人たちが行っている[18]。

同様に、監視ツールの利用を過剰に急ぐことのリスクについては、早い時期から警戒の声があがっていた。たとえばロブ・キチンはこう問いかける。「われわれは干渉的な監視を急ぐあまり、市民的自由と市民権、監視資本主義に関連して直接的に付随する結果をもたらしたが、利益はほとんど得られていないのではないか[19]」。そして自ら集めた証拠をもとに、辛辣にこう言っている。欠陥があきらかなのに性急に実施されたのは、不備があって適切でない技術でも、まったく使わないよりは使ったほうがましだとみなされたのだ、と。

パンデミックが始まった時点、あるいはそれ以降でも、監視技術が性急に導入された理由がショック・ドクトリン的分析にあったのかどうかはなんとも言えない。この問題は真剣に調査する必要がある。それでも、監視を目的とする多くのデジタル技術の導入が大した注意も払われずに実行されたこと、またあるシステムの使用にかけられた既存の制限や、ある目的のためのデータ使用を禁じる法律があえて無視されたことを考えれば、ショック・ドクトリンの仮説を追いかけてみる価値はあるだろう。[20]

またその一方、世界各国の状況はきわめて多様で、文化的背景からくるなんらかの地域差が話をさらに複雑にしていることはあらためて強調しておきたい。たとえば日本では、性急に進めるといったことは問題にならず、逆の状況が起こった。安倍政権（当時）は個人レベルでのウイルス検査、診断を推奨しなかったのだ。その裏には、数十年におよぶ公衆衛生関連の予算削減で弱体化していた地方自治体が――この点が言及されることはなかったが――パンクしてしまうという理由があった。

なかでもとくに、二〇二〇年開催予定の東京オリンピックが延期になると面目が潰れるという思惑のせいで、現実のウイルス感染者数をめぐる混乱に拍車がかかったということも考えられる。著名な医師でもある山梨大学の島田眞路《しんじ》は、政府が意図的に検査を抑制して感染データを伏せ、実際の状況から注意をそらさせていると非難した。これに対する政府の反論は、「個別の診断ではなく、クラスター追跡を最優先する計画である」というものだった。[21]

韓国の状況も、特定の文化的背景を反映しているのに加え、断固とした行動（この点では台湾と同じだ）を重視し、監視資本主義に頼っている。前にも見たようにこの国では、当初から検査と接触確認、市民への明確な指示があった。またデータの収集と分析を徹底し、組織的に行った。そして他の国で顕著になったウイルスの最悪の影響を抑えるのに成功したが、その一方で東亜大学のジョージ・バカは、韓国の動きにはより冷徹でシニカルな姿勢が反映されていると指摘する。

バカは、韓国政府は「すでに一般市民の活動を追跡しマイニングするための強力な技術を持っていたが、それをさらに拡張するようなかたちでパンデミックへの対応を調整した」と述べている。[22]さらに監視カメラ、クレジットカード取引、電話会社などの企業の協力を得て、監視の追跡網を完成させた。これはのちに、携帯電話の基地局、モバイルアプリ、「スマートシティ」のセンサー類の利用にまで広がっていった。「スーパースプレッダー」現象を引き起こした悪名高い新天地イエス教会の騒動では、この組織が大きな非難を浴びたが、公衆衛生上の指示に従うべき理由をすべての人に警告するために利用されもした。

　そしてバカは、「新型コロナウイルス感染症は、政府機関や民間資本が自らの能力と社会に対する支配力をポジティブな一つの力として示すためのショーケースとなっている」と結論づける。それによって国内の社会的矛盾を深め、個人主義を助長することで社会変革のための集団的アプローチの可能性を損なっているのだという。けれども国際比較の観点から見ると、韓国の「個人主義」はアメリカのそれと比べてはるかに社会的利益に合致していたと言うこともできる。ハーバード大学のキム・ジョンファンと香港中文大学のメイポー・クワンの実証研究によると、個人のプライバシーを重視するアメリカ人と、公共の利益を重視する韓国人の対比が、とくに位置追跡というセンシティブな領域にくっきりと表れている。[23]

†監視資本主義、パンデミックの権力

　一見すると、スマートフォンは新型コロナウイルス感染を抑制するにはそぐわない道具に思えるだろうが、実際にはきわめて重要な役割を果たすことがわかっている。[24] スマートフォンはパンデミック監視の中心となる三つのかたちで活用される。すなわち接触確認、

流行のモデリング、そしてこの世界的危機であふれ出した誤情報による「インフォデミック」を防ぐための公衆衛生コミュニケーションだ。二〇二〇年一二月までに少なくとも七四か国が、接触確認のツールとして何かしらのスマートフォンアプリを採用した。これは国家ばかりか企業までが個人の行動を管理しようとする手段だ、いまでは毎日のスマートフォンの使用を通じてインセンティブの提供や指導や制約が行われている、という見方もある。[25]

パンデミックのさなかに起こってきたことの多くは、パンデミックという状況に強く後押しされた監視資本主義の出現と拡大に関連している。思い出してほしいのは、監視資本主義というプロセスのなかで、かつて「データ排気」とみなされていたものが測り知れない価値を持つようになったことだ。日々のオンライン活動から排出された「気体」から、消費者の特性をあきらかにする力が引き出せるようになった。人々の好みや選択に関わる大量のデータを、その年齢、ジェンダー、背景、教育、収入、居住地、活動などと一緒に集め、そうした情報を企業に売る。企業のほうはそれを製品やサービスの広告や刺激、誘導に利用できる。前にも言った「予測のモード」である。

監視を研究する学者たちは、商業組織による大量監視の利用を長年にわたって検証してきたが、ショシャナ・ズボフの著書『監視資本主義[26]』は、これまで見てきたような議論に新たな息を吹き込んだ。ズボフがとくに注目するのは、民間企業、とりわけグーグルが、人々の選択や動機、コミットメントといった内面をデータアナリストが読み取れるものにする方法を発見したことだ。彼女の分析では、おもに脅威にさらされるのは個人の自律性である。そしてまた、第5章で見たように、ある特定の自由が脅かされる一方で、監視資本主義は差別と不平等全般の拡大も助長している。

　企業がかき集める知識は、私たちみんなに関するものだが、それは私たちのためになるものではない、とズボフは強調する。ところがパンデミックのときには、その同じ企業が蓄積し分析したデータは「私たちのためになる」という印象を与えられるようになる。だからこそ、接触確認から隔離状況のモニタリング、抑うつ症状の緩和まで、あらゆるものを支援するアプリがつぎつぎに押し寄せたのだ。これと似たことが二〇年前の9・11の後に起こったというのも驚くには当たらないが、今回はさまざまなツールが政府だけでなく他の多くの組織に、さらには個人レベルにまで提供されている。

　監視資本主義からはいくつかの基本的な不正義が生じる、とブリティッシュコロンビア大学のジョナサン・シナモンは指摘する。人々が自分のデータから切り離され、それが企業利益の燃料となること、つまり不均衡分配の不正義だけではなく、アルゴリズムのデータ処理とカテゴリー分けのために人々が誤って認識され、さらに同じデータによって誤って表現されるのだ。そしてこの誤表現のために人々は声を失い、データの誤用に異議を唱えることもできなくなる。[27] 重要なのは、シナモンも結論づけるように、どのような政府であっても、こうした「異常な」操作は日常の生活において平等が実現される機会そのものを奪ってしまうということだ。

†民主主義の赤字

ここには、個人の自律性のみならず、社会的、政治的な仕組み、とくに民主主義にとっての真のリスクがある。「ショック・ドクトリン」という概念は、ほぼあらゆるタイプの政府は緊急事態に乗じて権力を強めようとするかもしれないという警告なのだ。その試みは露骨な場合もあるが、他の動機と混じり合った微妙なものである場合のほうが多い。しかしいま、この状況は民主主義の機会をさらに弱める企業の活動によってさらに強まっている。

民主主義の赤字〔一般市民を置き去りにして政策が決められる状態〕が現れてくるのは、「指令経済」の動きや、人口移動の厳格な統制——ウイルスの爆発的拡大を食い止める手段として政府に正当化されるかもしれない——などだが、他にもパンデミックの対策を組織するのに住民の知恵を活用しようとしないこと、アプリに加えてドローンや固定カメラといったモニタリング装置の使用に関する決定に住民が参加できないことなどもその一例だ。

このことは、ブラジルの例にも示されているだろう。新型コロナウイルスの脅威という現実を速やかに受け入れた韓国とはちがい、当時のトランプ大統領が公衆衛生上の助言を軽視したのと同じように、ボルソナロ政権下のブラジル当局は医学的、疫学的な警告を無視するという重大な決断を下した。なんらかのかたちで経済を減速させればパンデミックより大勢の死者が出る、そう大統領は断言した[28]。新型コロナウイルスの重大性を認識し、大統領の場当たり的な解決策に反対を唱えた保健大臣は、つぎつぎに解任された。

ブラジルでの結果は、非常に高い感染率と死亡率を示すものだが、実際の話はきわめて複雑にからみ合っている。一部の都市や地域では、その数字は他の場所よりぐっと低い。感染率や死亡率が高いのは圧倒的に都市部のファベーラのような貧困地域だが、裕福な地域ではしばしば企業の主導により、ばらばらに独立したかたちで接触確認の取り組みが行われている。インロコ（inLoco）というスタートアップ企業は、もともとの位置情報マーケティングサービスから、契約を結んだ都市の住民が自己隔離を守っているかどうかをモニタリングするサービスへと業務を切り替えた。スマートフォンを用いた別の取り組みも、ボルソナロに最も強硬に反対する北部のバイーア州で開始され、健康状態や個人情報などの情報をその地域の中央プラットフォームへ送信した。

†加速する監視資本主義

カンピーナス州立大学のラファエル・エヴァンジェリスタとロドリゴ・フィルミーノも、ブラジルではパンデミックをきっかけに他の種類の監視も始まったことを示している。たとえば、自宅での学習に関連した教育プラットフォームの利用がぐんと伸びたことだ。グーグルとブラジルの州立大学の契約は、二〇一九年には一一パーセントだったのが、二〇二〇年はなんと七〇パーセントに達した。しかしいまのところ、こうした取り組みを支配しているのはあきらかにソーシャルメディアと、ユーザーデータを売って市場を得るという商業的な目的を持つ「プラットフォーム資本主義」の理屈であり活動だ。これを擁護する大学関係者たちの考える教育的課題などは後回しにされている。[29]

とはいえ、他の地域でもやはり、教育というコンテクストのなかで、パンデミックの状況が監視資本主義の急速な成長を促しているのは確かだ。この問題については第3章の「ターゲットは家庭」でも触れたが、ここでつけ加えておくべきなのは、北米やその他の地域で使用されているプラットフォームの大半が基本的には利益の追求を方針にしていることだ。トロント大学のロン・ダイバートは、「公での議論もほとんどなく、新たな保護措置も講じられないまま、われわれは安全性に欠けることで知られ、規制も不十分で、きわめて干渉的で、しかも悪用されやすい技術的生態系にますます依存するようになっている」と的確に指摘している。[30]

最後にやはり注目すべき点は、現在の監視資本主義はビッグデータに依存しているだけでなく、そのデータを分析、活用する手段、つまり機械学習や人工知能の存在を支持しているということだ。たとえばアリババは、企業であって公衆衛生機関ではないが、新型コロナウイルスをCTスキャンから九六パーセントの精度で迅速に検出するAIシステムを開発した。しかしハーバード・ロースクールのカーメル・シャカーらが指摘するように、機械学習やAIが提示している問題（「プライバシーから差別、ケア、アクセスにまで及ぶ」）は政府と企業の両方からなる組織から生じてくるものだ。[31] 移動の自由やアクセスの自由、デュー・プロセス〔法の適正な手続き〕などの権利は、従来は政府から市民に授けられてきたものだが、AIを推し進める団体はこれらをどういった条件の下で守っていくのか。新しい倫理規定を求める声はまったく正当なものだが、現実的には限界がある。

†危機にさらされる市民的自由、人権、プライバシー

これまで見てきたように、監視、それも監視資本主義に後押しされた監視の拡大は、あ

る国家が市民を統制する力を強化するのに利用されやすい。私たちの暮らすこの世界では近年、ポピュリズム的権威主義が急速に台頭しているが、監視はそうした新たな権力を行使するために使われる可能性のあるツールだ。今回のパンデミックへの中国の対応を見れば、監視に大きく依存すること、とくにそれが有名なアリペイのような企業体のシステムを通じて行われた場合、感染率の速やかな低下というきわめて望ましい結果だけでなく、市民のさらに深い日常的な統制を実現できることがわかる。

中国のあるブロガーはコミュニティサイトの知乎（Zhihu）で、今回のパンデミックのために中国で開始された「健康コード」システムについて意見を述べている。このブロガーは「人間が機械やアルゴリズムに支配される時代は、少なくとも今後五〇年は起こらないだろう」と予想していた。だが「新型コロナウイルスの流行は、突然、それを早めることになった」[32]。中国では人権が危険にさらされている、世界の他の国にはあるような保護の手段がほとんどない、と指摘する声は多い。中国にはプライバシー立法はもちろん、独立した法制度さえない。より広くいえば、自由な報道機関や強力な市民社会も存在しない。「健康コード」がどんなふうに機能するのかも、ユーザーには不透明だ。「最近、感染の発生した地域へ行った」とか、さらに漠然とした「パンデミックに関連のあるグループに属している」といったカテゴリー分けでも、コードは赤に変わる。こうした状況は、先ほど触れた誤認識や誤表示の温床となる。しかしこれは、中国のどの地域での生活も同様に判断されるべきだということを意味してはいない。また、変化や住民の参加を求める声がないというわけでもない[33]。現在の地政学的コンテクストを見るかぎり、「権威主義」という言葉は慎重に使うべきだといえるだろう。

他の関連研究が示すように、中国の活動をどう判断するかは人それぞれだ。ある国を権威主義国家だと評し、それを拡大解釈してその国の監視も権威主義的だと言うのはあまりに安易すぎる。イランはよく、権威主義国家だと評される。だがミュンスター大学のアザデ・アクバリが指摘するように、イランにおける新型コロナウイルス感染症の経験は中国とは対照的だ。他の状況下なら、イランも中国の例にならったかもしれないが、そうならなかったのにはうなずける点がいくつかある。とりわけイランはデジタルインフラの普及が均一でなく、他の国のように今回のウイルスに対して大規模な監視技術を使用できなかったことが大きい[34]。

中国に話を戻すと、私たちはこれまでに、新型コロナウイルス感染の監視技術が個人や特定の人口グループへの国家的統制を強める方向に働くのを何度か見てきた。だがアルバータ大学のマーセラ・カシアーノとケヴィン・ハガティ、グリフィス大学のアウスマ・バーノットの三氏が言うように、こうした過程そのものが中国の市民のあいだに新しい種類の「制限された個人の自律性」を出現させる契機となっているように見える。[35]三氏の指摘によれば、大規模な「健康コード」のシステムは、新しいかたちの自己統治を通じて、市民に「〝統制された社会〟での〝自由〟を経験する」よう促してもいるからだ。これは中国の人々の多くが中国政府の対応に満足し、誇りにさえ感じていることの説明にもなるかもしれない。

†切り詰められる市民的権利

同様に、「民主主義」という言葉も注意をもって扱わなくてはならない。これまで見てきたように、たとえばインドやイスラエルといった民主主義を標榜《ひょうぼう》する国でも、権威主義のコンテクストにふさわしいと思われるパンデミック監視の手段を採用している。私の念頭にあるのは、インドの接触確認アプリ「アローギャ・セツ」と国家管理のツールであるアドハーの結びつきや、イスラエルの治安諜報機関シンベトが接触確認プログラムを使っていることだ。どちらの場合も現政権が特定の民族的、宗教的ルーツを持つグループを優遇していることが、「民主主義」を歪める大きな要因となっている。

今回のパンデミックはいくつかの国で、既存の監視統制の体制を強化、拡大する機会としても利用されている。日本もその一つで、二〇二〇年九月にはデジタル庁の新設が提案された。これは中央集権型IDシステムのマイナンバーカードを拡張し、医療、教育、その他の情報、さらには自治体や一部の企業と連携させることを目的とする。実のところこの構想は、経済界のリーダーたちの要請によるものでもあった。このデジタル庁は、たとえば健康と食生活、収入と教育など、個人単位でわかったことを結びつけ、分析できるようにするという。デジタル庁創設の法案は二〇二一年五月一二日、国会で可決された。[36]

パンデミックのあいだには、多くの国で市民的自由や人権も切り詰められた。パンデミックと戦うために、一部の国はかなり「権威主義的」な監視を行っているし、感染症を隠れ蓑に使って特定の権利に制限を加えようとした国もある。国際NGOシヴィカスのモニタリング報告[37]によると、ハンガリー、ポーランド、セルビア、スロベニアなどのヨーロッパ諸国が自由を制限し、ウガンダではLGBTQ+の人々が標的となり、インドでは非正規の労働者たちが国家によってさらに権利を侵害された。アメリカもまた、チリ、コスタリカ、エクアドルと同じく、違反国の一つに挙げられている。

人々がどこにいるのか、どこにいたのか、健康状態がどうなのかを記録する新たな手段が作り出されると、ウイルスの拡散を追跡するためのデータモデリングとともに、以前にはなかったかたちで多くのデータが利用されるようになる。そうしたデータは本来ならプライバシーおよびデータ保護の法律の対象となるような、多くの理由でとりわけセンシテイブなものだ。たとえば、スケープゴートや人種差別の背景または触媒になったり、パンデミック時には人命を守るために求められる範囲を超えて、移動の自由といった市民的自由に無用な制限を加えたりする可能性もある。またマスクを着ける、面識のない他人のなかに混じらないなど、必要な自己規律として考えられるものも、これこれの行動をとるようにと実際に指示するシステムによって、さらに強化されるかもしれない[38]。

これはさまざまな人口グループや分類、たとえばエッセンシャルワーカーなどにも及ぶ可能性があるため、こうした手段の分配がひどく不均等になりかねない。ある目的のために設計されたシステムが、通常とはちがう状況であることで正当化される別の目的へ「忍び寄る《クリープ》」と、9・11以降の「安全保障」体制で起きたのと同じように、統治のコンテクストのなかでいつしかそれが永続的な特徴となるといったことが容易に起こりうる[39]。

パンデミックへの政府対応の特徴の一つは情報統制の政策であり、これは民主主義国家と独裁国家のどちらでもあきらかに見られる。そしてこのことはまぎれもなく、市民的自由と人権にまつわる問題を提起してくる。一部の国の政府はパンデミックのあいだに「フェイクニュース」を作ってばらまく人間を処罰しようと方策を講じているが、その一方で政府自身もときには誤解を招く情報や不正確な情報の配信に加担したりしている。また政府情報へのアクセスを制限しているところもある。いずれにしろ、真っ先に行われるのはやはり監視だろう。コミュニケーションをモニタリングすることが、どういった情報が広まっているかを知るうえで最も効率的だからだ[40]。

このように今回のパンデミックでは、「権威主義」社会と「民主主義」社会の両方で、市民的自由と人権が脅かされている。これは一つの領域だけでなく、社会的、政治的生活のさまざまな側面でしばしば見られる。またインドでは、多くの不確実な部分だけでなく、「ウイルスとの〝戦い〟が絶えず語られ、この問題が公衆衛生上の危機ではなく法と秩序の問題として扱われている」ことにも表れている。インドの人々は「市民権の停止、司法の怠慢、まっとうな議論の欠如を目の当たりにしている」のだ[41]。

✝新たな課題

一九三〇年代以降、WHOやその前身の組織は、「イエローカード（cartes jaunes）」なるものを発行してきた。これはその持ち主が旅行をするとき、さまざまな病気の予防接種を受けていることを証明する手段となる。私もインドや東南アジア諸国を旅行するのにこのカードを使わなくてはならなかった。だがこれは紙の証明書であって、デジタルなものではない。新しいスタイルの新型コロナウイルス予防接種証明書は、イスラエルやフランスなどですでに使用されているし、先に触れたとおりニュージーランド航空ではIATA

（国際航空運送協会）の「トラベルパス」を試験的に導入している。[42]

だが、こうしたデジタルな「パスポート」は、現実のデータが含まれているという点、また差別を引き起こす可能性がある点で、さらに激しい論議を呼んでいる。「デジタル免疫証明書」やEUの「デジタル・グリーンパス」などは、ワクチン接種を受けたかどうかを正確に判定するのには役立つのだろうが、富裕層が旅行をする際の免疫特権のようなものにもなりやすい。それに「免疫パス」を作るという発想自体、あまり意味がないともいえる。ワクチン接種をしても感染に対する完全な免疫ができるわけではなく、新型コロナウイルスによって実際に病気になったり死亡したりすることが少なくなるだけだ。だとしたら、他の選択肢は二つある。ウイルスの検査結果が陰性だったというデジタル証明書と、ワクチン接種を受けたという証明書だ。

そうしたものを要望する声は、もちろん非常に大きい。観光業界は旅行を再開してもらいたがっているし、地域のコミュニティは外食や公共イベントへの参加の規制が解除されるよう望んでいる。『ニューヨーク・タイムズ』紙の表現はこうだ。「（パスについて）政府はたいてい、経済を再開させる手段として語る。個人は通常の生活に戻る手段として、公衆衛生の専門家は感染を減らす手段として語る」[43]。そして地方や地域の当局だけでなく、IBMのような企業もここに加わってくる。IBMが提供しているのは、同社のブロックチェーン技術を用いた「デジタル・ヘルスパス」だ。[44]

しかし実際の導入には多くの複雑な要素がからんでくる。どのワクチンなら受け入れられるかという合意もその一つだ。また、こうしたパスはデジタルドキュメントなので、プライバシーやセキュリティを徹底的に保護し、可能な用途を制限する必要がある。そして何よりも、国際的に共有された標準規格が求められるが、その合意にはあと何年もかかるだろう。

欧米諸国では、白人の裕福なグループから最初にワクチン接種をする傾向があり、すでに大きな不平等が生じているが、これがパスの使用にも反映されることはまず避けられない。その対極にある難民や亡命希望者は、こうしたパスポートを入手しようとしたら、まず乗り越えられないような壁が立ちふさがるだろう。とくに彼らは元の祖国から逃れる際に身分証明書を廃棄せざるを得なくなる。ワクチンパスポートを持つことがワクチン接種の証拠であるとしたら、これも疑わしい結果になりかねない。たとえばオーストラリアでは、現行の政策によれば、難民はワクチンパスポートを持てない可能性がある。[45]

それにこうしたパスは、差別や偏見、スティグマ化をさらに助長する恐れがある。たとえば世界的に見ると、一〇億人以上がパスポートや身分証明書、運転免許証、そして出生証明書すら持っていないが、そうした人たちが電子ドキュメントの類を持てることは決してないだろう。そしてまた、ここで多く論じてきたように、パスを持っている人は当然ながら監視の対象となる。ワクチンパスポートの所持者は、そのドキュメントに含まれるデータに応じて可視化され、表現され、取り扱われる。

†常態化する例外状態

いまから二〇年前の9・11のあとに、テロリズム阻止を目的とする例外的な監視、安全対策が、とくに旅行というコンテクストにおいて定められたが、そこに「サンセット条項」を盛り込むべきかどうかをめぐって激しい論争が巻き起こった。サンセット条項とは、未曾有の事態に対処するために一時的に発動される緊急措置、つまり「例外状態」が、一定の期日を超えて存続しないようにするためのものだ。

二〇一九年には、悪名高い米国パトリオット法の一五の「緊急措置」のうち、一二がまだ有効であるばかりか、永続的な法律としての地位を得ていた。また二〇〇一年九月一一日の三日後に開始された、アフガニスタンの人物と接触したアメリカ市民を対象とする令状なしの違法な秘密監視プログラムは、エドワード・スノーデンの内部告発でその存在を暴露されたが、二〇一九年には「合法」とされている。[46]

パンデミックを受けて実現した通常にはない法律の変更や厳重な監視体制も、これと同じ道をたどるのではないかと懸念する声が多い。「なぜ危機を無駄にするのか」がどうやら、ショック・ドクトリンの提唱者たちの合言葉のようだ。そして一般の人々はもう9・11の余波を忘れているかもしれないが、監視の拡大と定着という観点からは、市民的自由と人権を気にかける人たちは現在あるリスクを強く感じ取っている。

たとえば英国では、政府はパンデミックのあいだに取得した個人データを二〇年間保存する予定だが、いかなる個人にも自身の記録を削除する権利は与えられない。人権団体はこのデータが他の目的に使用されることを懸念し、そもそも政府はデータの収集と分析を始める前に、しかるべきデータ保護影響評価を行っていなかったと指摘している。[47] そうした圧力がどこからくるかといえば、いまの新たな状況で得をする人たち――おもに多くのデータへのアクセスを得ることで、利益や継続的な政策達成に結びつけられるような立場の人間たちだ。

†「ミッション・クリープ」

現在は「ファンクション（機能）・クリープ」――この場合なら「ミッション（任務）・クリープ」だろうか――という発想が実現しそうな状況であり、とくに国家と企業の両方が利益を得ることを考えれば、そうなる可能性はきわめて高い。「ファンクション・クリープ」という言葉が表しているのは、なんらかの監視システム、たとえば破壊行為防止の目的で設置された監視カメラなどの監視システムが、麻薬密売犯罪への対応などに用途を広げられるような状況のことだ。一方、「ミッション・クリープ」とは、ある大がかりな任務のために設置された監視システムが、まったく別の任務に再利用されることを指す。たとえば接触確認システムは、パンデミックではない状況での継続的な公衆衛生モニタリングに再利用することができる。

一例を挙げると、二〇二〇年にタイとミャンマー間で一六人の難民が不法に越境して以来、国境はドローンと紫外線カメラでモニタリングされている。パンデミック時の対策として始まったものが恒久的になりつつあるようだ。新型コロナウイルス感染者の行動を逐一追跡するアプリや、オーストラリアの家庭に設置された、隔離が守られているかどうかの確認用カメラなども、もともとの想定より長期にわたってそのまま維持されるかもしれない。ロシアでは感染率が低下しているのに、監視カメラと顔認証システムが相変わらず使用されている。[48]

とくに不穏な例はイスラエルのものだ。二〇二一年五月にパレスチナ人デモ隊の弾圧とガザへの攻撃が行われた際、シンベトは新型コロナウイルス用に導入された接触確認と同じ技術システムを使ってデモ隊を追跡、モニタリングしていたと見られる。このデモはユダヤ系イスラエル人入植者によるパレスチナ人家屋の収用に反対する趣旨のものだったが、参加した人たちは次のような電話メッセージを受け取った。「あなたがアル＝アクサ・モスクでの暴力行為に加わっていたことが確認された。われわれはあなたの責任を問う——イスラエル情報部」[49]。

ミッション・クリープを正当化するもっともらしい方便は、パンデミックの発生を招きやすい状況がまだ残っている、というものだ。たとえば、人獣共通感染症が発生しやすい条件が継続する以上、別のパンデミックが——おそらくさらに恐ろしい病気が——発生する可能性があるのだから、それに備えるのは賢明だろう。だが、どうしても法的な例外を設けなければならないのなら、新しい緊急事態が起きたときにだけ規制緩和の措置を復活させるプランを作っておけば、時間が無駄になることはほとんどないはずだ。こうした問題はごく注意深く取り組んでいくべきものである。

†試される民主主義

最後にもう一例を挙げると、ガーナでは症状を追跡するアプリが導入されたほか、政府が公的緊急事態のあいだに電気通信システムに及ぼす権限を強める法案が可決された。この行政文書は「公衆衛生上の緊急事態から実際に影響を受けた……人物の接触者全員を追跡する手段」が「緊急に必要とされる事態」に対応するためのものだと説明された[50]。しかしこれは、モバイル端末のＩＤを一元管理することを求めてもいる――つまり、個人と電話番号、さらに電話番号と電話の機種を結びつけられる全国規模のデータベースだ。今回のパンデミックは、ある程度の力を持った恒久的な監視システムを生み出しつつあるように見える。ガーナにはデータ保護法とデータ保護委員会があるものの、この新たな権力が濫用されるのを防げるかは、連携した市民社会と政治行動にかかってくるだろう。

多くの監視システムが、適切だと考えられる民主的議論や手続きを経ないままに開発されてきた。ショック・ドクトリンの方策のなかには長期的な影響を及ぼしかねないものもある。ガーナのような国では、なんらかの政治力を発動することで、当初パンデミック対策として始められたものが長期に及ぶ遺産となって問題を起こすことを防げるかもしれない。時間がたてばわかるだろう。しかし今現在、民主主義はあきらかに試されている。

それでももう一つの国、ニュージーランドでは、ジャシンダ・アーダン首相の下で、強力な統治権を発動し、厳格かつ包括的な政策対応を行いながらも、透明性と説明責任を保ちつづけている。たしかに、ニュージーランドの人口は五一〇万人と少なく、比較的裕福でもあるが、現首相の施策は広く支持され、敬意をもって受け止められている。同国の政府はパンデミックとその対応について、国民に情報を提供するよう努めてきた[51]。

　ここまで見てきて、残っているのは以下の問題だ。監視資本主義は、従来からの政府の統制とごくありふれたショック・ドクトリン的傾向に新たな側面をつけ加えた。それに対し、過剰で不要な監視を阻止しようとする試みはどこまで抵抗できるのか。これまでの比較的新しい可能性を考えれば、さまざまな見通しがありうるだろうが、変化は激しく予断を許さない。求められるのは市民社会の側が、さらにはすべての市民が真剣に熟考すること、そしていうまでもなく行動を起こすことだ。このパンデミック以後の世界に、人間中心の、しかもグローバルな視点からどのように向き合っていくかが、つぎの最後の章のテーマとなる。

第7章

希望への扉

Doorway to Hope

†青白い騎士

　ペイルライダーとは何者か。ローラ・スピニーが一九一八年の世界的パンデミックを調査した際、本の表題にこの名を使った。アフリカ系アメリカ人の伝承歌にある「青白い馬、青白い騎士《ペイルライダー》、私の真の愛を奪っていった……」に出てくる青白い騎士とは、〈死〉の隠喩であり、聖書の黙示録に登場する第四の騎士を指す。新型コロナウイルスのパンデミックはいろいろ悲惨な表現をされるなかで、しばしば黙示録の観点からも論じられる。[1]だが「黙示録」は「終末」といった言葉と同義に受け取られる一方で、言葉としての「アポカリプス」〔apocalypse　ギリシャ語で apokaluptein、字義的には「uncover」の意〕ではそこに、ベールを剝ぎ取る、見えていなかったものや認識されていなかったものを暴露するという意味が加わっている。

　もとの聖書にある「青白い騎士」のコンテクストに照らせば、黙示録的な文章には人々をゆさぶって自己満足や古くさい見識、ありふれた前提から目覚めさせ、物事のやり方を疑い、有害な慣習に風穴をあけ、政治的常套句を厳しく見きわめるという意図がある。だがそれ以上に、世界を別の見方で見られる余地をつくり、新たな未来への扉を開くためのものでもある。いまここでパンデミック監視を黙示録的に正しく読み解こうなどというつもりはない。[2]だがこれまで、パンデミックで何があきらかになったかを知るための手がかりを提示しようとしてきたのだから、今後どういった未来を望み、また目指していくべきなのかも示唆してみたいと思う。

私はショック・ドクトリンという嘆かわしい日和見主義を強く非難してきたが、ここで説明しておくべきことがある。逆説的かもしれないが、私はパンデミックをチャンスとして捉えてもいるのだ。ショック・ドクトリンとはある意味、前に向かって進むもう一つの道の歪んだ強烈なパロディといえる。それは普通の人たちが日常生活を送りながら、ともに共通善を目指していくという道だ。彼らの声はもうすでに聞こえてきているし、ここで私は彼らに正当な明るい光を当てていく。彼らが求めるのは権力ではなく、すべての人の繁栄だ。その道しるべとなるのは、技術的、商業的な技量に基づく楽観主義ではなく、人間が生きるに足る世界への希望なのだ。

パンデミックがどんなかたちで現代生活の悲劇的な側面を露呈させたか、といったことを細かく指摘する識者はとても多い。長期介護施設で大勢の死者が出ているという耐えがたく悲惨な事態は、他の多くの地域と同じように、オンタリオ州でも早い段階で指摘された。まったく悲痛で恐ろしい状況だが、それでもブラジルの貧しいファベーラや、インドの大都市にいる路上労働者たちの絶望的な境遇とはおいそれと比べられない。インドではウイルスが各コミュニティに壊滅的な打撃を与え、火葬を待つ遺体が積み上げられていた。悲しいことに、一部のパンデミック監視はこうした状況を悪化させるほうに働いた。誤り、悪い選択、性急な行動——あきらかにこうしたすべてが相次いだ。

†暴露としての黙示録

黙示録的に物事が暴露される瞬間は、二一世紀における監視プロセスの広範かつグローバルな性質から、アルゴリズムによるデータの目に見えないかたちでの分析、利用といったものにまで及ぶ。そこであきらかになるのは、世界中の政府とプラットフォーム企業が共謀して強力な体制を作っている例がいかに多いかということで、そこで用いられる強力なデータ処理の手段は人間の自由と公平性を蝕みかねないものだ。テクノソリューショニズムと性急さがパンデミックの対応と管理の際立った特徴となっている。

このことは、接触確認アプリから大規模なヘルスデータ・システムにいたるまで、何もかもがどこまで目的に適ったものなのか、また公正さと自由を促進するものなのかという疑問を生じさせる。こうした疑問はもちろん、医療とは無関係なパンデミック監視の側面にまで広がっていく。アマゾンやアリババといった企業はパンデミックの状況から、ノッティンガム大学のジョン・ミルバンクとケント大学のエイドリアン・パブストの言葉を借りれば、「傷を負った獲物の上を旋回するハゲタカのように」[3]利益を上げつづけるだろう。何か劇的な変化が起こらないかぎり、監視は信用やセキュリティの装置を通じて、今後も統制の手段となっていくだろう。雇用主や教育関係者、マーケティング担当者たちも、このパンデミック中に遠隔で何百万もの人たちを追跡する新しい方法を学んだが、彼らの活動を通じて監視が続けられることもいうまでもない。

各国政府は、刻々と変化するパンデミックに対応しようとして、権利と移動を制限し、法律を変え、軍隊や治安機関を動員した。高圧的で不器用な動きもあったが、なかには迅速さと見かけ上の成功で大衆の支持を得ているものもある。

だがデータの取り扱いに関しては、多くの国で課題が山積みになっている。たとえば接触確認アプリは、恩恵として見るにはいささか事情が複雑だ。感染者と接触した人たちにアラートを発するという役割では大いに評価されているが、より広い意味での有用性はしばしば割り引かれてきた。その原因は誤検出や見逃しが出るといった点から、利用率が低いためにパンデミックの具体的な経過の理解と対応にはあまり役立たないといった点までさまざまだ。

全体的に見て、ウイルス的《バイラル》に広がった監視の勢いは、「パンデミック監視」という言葉の持つ二重の意味のとおりだといえるだろう。加えて新型コロナウイルスは、それ自体が変異を起こして変異株や新株をつくりだし、新たな公衆衛生上の難題を突きつけてくる。これはRNAウイルスの特性であるが、科学者のなかにはウイルスの振る舞いをより深く理解するために、実験室でそのプロセス——機能獲得（GOF）——を再現しようとする者もいる。だがもし、その変異したウイルスが研究室から洩れ出したら？　バラク・オバマは大統領だったときに、明確な倫理規定ができるまでGOF研究を停止させた。[4]

前の章でもとくに触れたように、パンデミック監視には「ファンクション・クリープ」の恐れが明確にあるが、これはウイルス学でいう機能獲得の側面を模倣してでもいるかのように見える。[5]パンデミックのために急きょ案出された実験的な技術的「ソリューション」が、あきらかなマイナス面があるにもかかわらず、今後も長期にわたって使われたり、「通常の」もしくは「必要な」監視であるように誤って受け取られる可能性は少なくない。それを避けるには、適切な倫理の方向性とともに、法による制限や国際的合意のある規制、さらには市民社会による公的な監視が必要になるだろう。

この本では黙示録の「暴露する（uncovering）」側面を扱って、一部では見過ごされているパンデミック監視の重要な、そしてときに苛烈な側面をあらわにしてきた。これ以降は

「暴かれた」ものよりも、いま私たちに見えているものへの反応にフォーカスしていこう。パンデミック監視にちがった角度から光を当てればどのように見えるのか——そしてその光が刺し貫いていける亀裂はあるのか。二つの国のストーリーからその答えとなりそうなものを示してみたい。

†台湾のストーリー

ここでは、北米やヨーロッパの常連ともいえる国にフォーカスするのではなく、片やラテンアメリカ、片やアジアの二つの国の対照的な状況に注目しよう。この両者とも一般の市民が光を取り込む役割を果たした。どちらも少し前で取り上げた国だ——台湾は中国の目と鼻の先にある国で、ウイルスへの迅速な対応が功を奏した。ブラジルは医学上の勧告にトランプ流の無関心と嘲りで応じた結果、都市部の貧困層を中心に多くの犠牲者を出した。

台湾（人口は二三五七万人）はパンデミックの最悪の影響に立ち向かおうと努力し、誰が見ても上々といえる成果をあげた。台湾のストーリーは多くの点で他の国とは際立った違いがあり、市民社会の役割、徹底した透明性、信頼に値するとみなされる政府が大きくものを言った。また「シビックテック・ハクティビスト」（自ら進んで市民や社会の問題解決のためのアプリやサービスを開発するハッカー」たちが、政府を代表する若きデジタル大臣オードリー・タンとともに重要な役割を果たした。台湾には「デジタル民主主義という強力な集合的物語があり、政府と市民社会がオンライン空間で協働することで市民の信頼を築いている」のだ。[6]

ほど近い隣国である中国の勢力伸展への懸念を背景に、貿易取引の脅威に対抗する「ひまわり運動」(二〇一四年)が組織され、本格的にハッカーの力が発揮される最初の兆しとなった。これはやがて、中国で起こっていることを注意深くモニタリングする運動へと発展していった——そのおかげで、ある上級保健科学者の手柄により、二〇一九年一二月に武漢で検出された新型ウイルスへの警告をいち早く出すことができたのだ。そしてほぼ間をおかずに、これから何が必要になるかを一般に周知させるべく、クラウドソーシングでの作業が始まった。オードリー・タンが「逆調達」という言葉で表したように、入手可能なマスクなどのウイルス対策用品がボトムアップで調べられた。

彼らはまた、偽の情報が出てくることも予想していたので、政府を動かしてそれに対抗し、「噂よりユーモアを」の方針で、ネットミームや短くポジティブなメッセージを使った。要するに、当初から他の多くの国とは大きく異なる方法でデータが利用され、本書で示した他のものとは大きく異なるシナリオのなかで、シビックハッカーたちが中心的役割を果たしたのだ。ロイヤルメルボルン工科大学のケルシー・ナベン[7]の表現を借りれば、この「デジタルインフラの実験的応用」が台湾のパンデミック対応の基礎となった。ここにはコミュニティの声が届くような公共政策参加プラットフォームも含まれる。

台湾政府の全体的な信頼度は高いものではないが、対照的に今回のパンデミックへの対応では、中央感染症指揮センターへの満足度が九一パーセントに達した。この組織が実質的に活動を始めたのは二〇二〇年一月二〇日で、その迅速な対応は台湾の成功に不可欠だった。センターの責任者は政府や軍の高官ではなく、医学の専門家たちである。科学者たちは国家衛生担当の部署や移民署とデータを共有し、最初から検疫の状況をモニタリングしていた[8]。こうした措置は創意に富んだ対応を評価する空気のなかで許容されていたようだが、アムネスティ・インターナショナルは台湾がデータ共有時にプライバシー保護を怠った可能性があることをやんわりとたしなめている。

台湾のハクティビストとオードリー・タンのストーリーが示しているのは、市民と政府のあいだの「開放性と透明性を推進することが相互信頼を育む[9]」ということだ。その鍵となったのが、多くのレベルで政府と市民社会の協力関係ができたことであると指摘する声は多い。これによって扉が開かれ、さまざまなかたちでの共同行動が花開く新たな可能性が生まれた。しかしブラジルでは事情が大きく異なる。

†ブラジルのストーリー

一つ注意しておくと、ブラジルの人口は約二億一〇〇〇万人で、台湾のほぼ約一〇倍に当たる。パンデミックが始まった当初、アナリストたちは、この先起こりうる道は三つあると考えた[10]。一つめの「決裂」は、歴史的な不平等や富の非対称性がパンデミック危機によって急速に悪化していくこと。二つめの「例外」は、パンデミックとその結果を一時的なものとして扱い、「常態《ノーマル》」への早期回復を促すこと。三つめの「加速」は、「監視資本主義」の技術を迅速に導入して大規模な隔離を行い、仕事や学習をインターネットへ移行させることだ。

アナリストたちはこう結論づけた。ボルソナロ大統領のとった「例外」と「加速」の政策は多くの害を生み出し、本稿執筆時点で五〇万七〇〇〇人の死者を出したうえに、確約されたような恩恵をもたらすこともなかった。保健省は病気に対処する包括的、総合的な計画を提出したが、大統領は積極的に反対し、ヒドロキシクロロキンのような効果の怪しい薬物を推奨したりもした。収入を失った人たちが支援を受ける道はあっても、そのためには電子的に新しく登録をしなくてはならなかった。しかし全人口の約三分の一が――その大半が援助を一番必要とする人たちだ――満足にインターネットにアクセスできず、電話という手段に限られている状態では、それも難しかった。

顔認証をはじめとする、新たな生体情報登録の手段も用いられた。現実には全人口の五〇パーセント以上が黒人（preto）か混血（pardo）で、顔認証技術はアフリカ系の人口グループをなかなか正しく認識できないことが知られていたにもかかわらずだ。そして黒人の大多数は貧困層に含まれている。貧困に苦しむ地域、とくにサンパウロのような大都市にいる人たちは、プラットフォームに頼って配達業をしていることも多い。しかし支配層のエリートたちはずっと、そうした人たちには無関心だった。

だが、この暗澹《あんたん》たる状況のなかにも、多少の光をもたらす反対運動の証がいくらかはある。もちろんブラジル政府はプラットフォーム企業を使って都市部のヒートマップを作成し、許可された数以上の人間が集まっている場所を示させたり、人々の動きを追跡し、物理的な距離が保たれているかをチェックしたりする。そうして政府は、個々の人々に期待される行動を利用して統治をより効率化し――ミシェル・フーコーならそう説明するだろう――国民に自己管理を維持させているのだ。

だが市民たちも、パンデミック期間中の厳しい取り締まりにもかかわらず、批判的な反応を見せた。大量のデータがひどく規制のゆるい企業に移転されているのに、プライバシー保護がないという批判の声があがった。少なくとも一人の弁護士が集団的な人身保護を求めて公訴する一方、多くの人たちが自己防衛のために監視をすりぬけ、ソーシャルメディアの追跡を免れる方法を見つけた。学術的、技術的なコンテクストにおいて疑問を呈する人たちもいた。[11]

懸念される点の一つは、データを基盤とする新たな監視手段の詳細が透明性に欠け、とくにプラットフォーム企業やハイテク企業がからんでいる場合にそれが顕著だということであり、もう一つの疑念は匿名化に関するものだ。押し寄せるパンデミックの波を食い止めるために使用されるデータからは個人の身元は特定されない、との触れ込みになっている。だが、ある調査ジャーナリストが三角測量《トライアンギュレーション》の手法を使い、安全とされていたデータから個人の身元を暴くことに成功した——そうして名前が判明した人たちは、自分の情報がどこまで洩れていたかをまるで知らずにいたことがあきらかになった。

三つめの懸念は、すでに多くの批判の的になっているが、「新しい」監視システムが実際には以前からあるプラットフォーム上に構築されているということだ。サンパウロ市の警察がそうしたシステムによって犯罪現場の地図を作成し、すでにビデオ監視システムが導入されて容疑者を追跡したり、リアルタイムでアラートを発したりしている。これら三つの疑問はさらに細かく分かれ、現在のパンデミックのための取り締まりばかりか、同じ技術が長期にわたって住民の統制に利用される可能性にも及んでいく。

ブラジルでは、データプライバシー、インターネットラボ、インターネット運営委員会などの市民社会団体が、疑問だらけの監視の拡大に反対の声をあげた。これらのグループは一般データ保護法を根拠として、新たな監視手段を制限するルールを積極的に求めている。彼らはまた、監視という脅威に直面している市民的自由を後押しする活動を長年続けていて、二〇一四年の「インターネット憲法（Marco Civil da Internet）」成立を後押しした。二〇二〇年四月には「データによる統治（Datocracy）」を扱うポッドキャストを開始し、パンデミック時の個人データの適切な利用に関する議論を提案している。また同年、データプライバシー・ブラジルは「プライバシーとパンデミック」に関する報告書を発表し、モニタリングシステムの野放図な使用に一貫して抵抗していこうと呼びかけた。

つまり、恐ろしい勢いで人が死んでいる、とくにブラジルで最も周縁化された人たちの命が失われているという悲痛な見出しの陰には、政府の責任を問おうとするグループや運動の存在があるのだ。活動家団体はさまざまな証拠や専門的知見をもとに、パンデミック監視がどんな危険を伴うものかをブラジル国民に警告するのに成功した。学者やジャーナリストたちもこの抵抗運動に重みを加えている。

「暴露される」過程では、ネガティブな面、たとえば監視が常態化する可能性[12]といったことだけでなく、維持し育んでいく価値のあるポジティブな面も見えてくる。先に挙げた二つの国の話のなかで、以下の点はさらに熟考に値するだろう。権力など持つべくもない普通の人たちが、自分たちの置かれた状況に変化をもたらしたということだ。彼らは力を合わせてパンデミックの現実に立ち向かい、オルタナティブな方法で前へ進もうとした。強力なプラットフォーム企業に牽引役を丸投げしがちな官民パートナーシップが出してくる標準的な提案に頼ることをよしとしなかった。

彼らはしばしばいまの状況を、人々の深い分断によってすでに蝕まれたものと見た。貧困層や不利な立場の人たち、周縁化された人たちは、生活が安定していてインターネットにもくわしく、たとえば自宅での仕事や授業にすんなり切り替えられるような階級の人たちよりずっと苦しんでいる。実際に、彼らは必ずしも「人口」レベルからではなく、さまざまなかたちで難しい立場にいる人々のところから始めたのだ。リネット・テイラーが言うように、パンデミックの優先順位はケアの倫理に従って決めるべきだろう。

人口データは多くの情報源に由来するもので、包括的なものではないために精度や信頼性には疑問がある。また多くの国において、今回のパンデミックで死亡する人がどれだけの数になるかについて「功利主義的計算」[13]が行われた。それに対して、確実性やデータが不足するのは、情報の「ギャップ」のせいではなく、より目に見えない、医療などの恩恵にもあずかれないグループに属するであろう人たちがいるからだと考えたほうがいい、とテイラーは言う。

そこには低賃金労働者、高齢者、移民、囚人、可視的マイノリティなどが含まれる。テイラーのアプローチは、人口ベースの管理といったものではなく、そうした人たちが実際に何を必要としているのか、おたがいの関係はどうなのかを尋ねていく具体的な方法だ。スマートフォンを用いた位置追跡は、その人物が実際にやっていることを知る道具としてはあまり有効でない。またいずれにしろ、テイラーが言うように、「目に見えにくいグループとはまた、データ分析の前提となる行動の規範には一致しにくい人々であることが多い」。

台湾でもブラジルでも、他のどの国でも、何かしらの不足があれば必ず、データの収集や取り扱い、分析、利用にはより細心に注意を払い、第5章で論じたような「データ正義」を追求し確立していくことが求められる。その前提として行われるのは、「プライバシー」や「データ保護」といった概念だけに基づくのではない、その先までぐっと進んだ実践となる。

台湾やブラジルのような状況で、他に浮かび上がってくる重要な要素としては、透明性の重視が挙げられる。どういったタイプの政府も、また自社の秘密を守ろうとする民間企業はいうまでもないが、透明性については低い場合が多い。二〇二〇年三月に電子フロンティア財団（ＥＦＦ）は、他の一〇〇の団体とともに各国政府に対し、新型コロナウイルス感染症関連の取り決めについて透明であることを求めた。「民主主義体制が公衆衛生関連の決定や審議を隠したり機密扱いにするのは、正常なことでも健全なことでもない」とＥＦＦは指摘している。[14]

だがこれまで見てきたように、多くの政府は秘密裏に行動し、重要な決定を密室で下したり、ヘルスデータをどう取り扱うかといった事柄の法的要件を変更するためにそうした内容を他の法律に織り込むようなこともしている。そしてこれは民主主義体制でも、より権威主義的な体制でも起こりうることだ。透明性がなければ一般市民は何が起こっているか知らされないばかりか、自分のライフチャンスに関わる問題を公に議論することもできなくなる。[15]

†市民によるモニタリング

パンデミック対策用に構築されたデジタルシステムが効果的に機能するには、市民の政府への信頼がなくてはならず、[16]もともと政府の信頼度が高いとされる台湾でも事情は同じだった。[17]メキシコ政府は二〇二〇年一一月、接触確認のためにQRコードの読み取りを義務づけるプログラムを発表したときに、市民の信頼を失った。民主的なプロセスを経ていないこの措置に対し、データ保護機関の前責任者は市民に抵抗するよう呼びかけた。[18]

だが、気をつけなければならない点もある。透明性は一歩誤ると新自由主義的な潮流を推進することにもなるのだ。コロンビア・ロースクールのデイヴィッド・ポーゼンが示しているように、透明性は決して「もの」ではなく、一つの社会的プロセスである。つまり目的ではなく手段なのだ。[19]社会学の流儀では、その場のコンテクストも考慮する必要がある。透明性はまた別の目標、たとえば説明責任という部分での助けにもなるが、これには信頼関係が欠かせない――台湾のストーリーでも言及されたもう一つの特徴だ。透明性はさらに、データ正義という目的にも役立つ。

先ほどの二つの話に出てくるもう一つの特徴として、とくに台湾の場合にいえるのは、コンピュータサイエンティストやソフトウェアエンジニアたちが、最前線のハクティビストとなって果たした役割だ。彼らが想像力を働かせてスキルを駆使し、公衆衛生機関への直接支援や必要物資の調達といった目的を果たしたことは、まちがいなく相互の信頼感を高めるのに役立った。これはうまくすると、社会的責任がより明確なより良いシステムが生まれることにつながる可能性がある。

コンピュータサイエンスやソフトウェアデザインは、いまではＡＩや機械学習を含むアルゴリズムの構築に深く関わっている。だがノーマ・メラーズ[20]が示しているように、そうしたものは現実の世界から隔たった活動のように教えられ、理解されていることがあまりに多すぎる。学生たちは勉強を現実の「応用」と切り離して考え、自分のやっていることが政治に関わっているという意識からも遠い。パンデミック監視を疑う人たちが戦略的な同盟関係を結ぶべきなのは、コンピュータサイエンティストたちだろう。それも自分の職業に伴うのが「つけ足し」の倫理などではなく、本質的に重要なものだと考えている科学者たちである。

そして最後に、ブラジル国内の過剰で不用意な監視に疑問を突きつける運動には、法的機関や規制機関で働く人たちとも連携するという意識がある。これはとくに、パンデミック以後の状況ではきわめて重要になる。「緊急時」の措置が解除されているか、あるいは適切に規制されているかをチェックするのに、大がかりな警戒態勢が必要だからだ。いくつかのＮＧＯが、不要もしくは強制的な監視に悩まされている人たちと直に連絡をとる一方、適切な監視のための適切な制限やガイドラインを求める他の機関とも連携している。

データ保護、情報、プライバシーに関わる機関は多くの国に存在し、見張り役としての重要な役割を担っている。官民の両方による監視活動の合法性をモニタリングし、データの公正かつ適切な取り扱いを規定する新たな時代に合った法律の制定を促しているのだ。データの新たな利用は本当に必要なのか、またその必要性と釣り合ったものなのか。規制担当者はデータの収集や分析について、とくに新しい、または「緊急時」の対応に際しては、こうした疑問を持たなくてはならない。

ここでは、プラットフォーム企業からの集計データがどう共有されるかが重要な問題になる。ブラジルでは政府が実際に、公衆衛生の中心的な業務をそのままプラットフォーム企業に委ねた。従来なら公衆衛生機関が担っていたはずの役割を外部に発注したのだ。しかし他の国々では、ヘルスデータの取り扱いに民間企業が関与することで、事態はさらに混迷している。しかもパンデミックを機に生まれた提携の内側で、実際に何が進められているかが秘密にされていることもある。

テレサ・スカッサらの主張するとおり、いまこそこの貴重なデータの取り扱いに細心の注意を払っていかなくてはならない。このように生きた人間に言及するデータの管理をどういった機関にまかせるかは、彼らがどのように可視化され、表現され、扱われるかによって決まってくる。あらためて言うが、個人が特定されないことは絶対不可欠な要件だ。

しかし他にも多くの法的問題が提起されるだろう。追跡用のアプリやシステムなど、もともとプライバシー侵害の性質を持っているものがどう使用されるかもその一例だ。スカッサが言うように、プライバシーが必ずしもパンデミック問題のソリューションを求める際の障壁になる必要はない。だが「必要性と釣り合いの概念によってつくられたプライバシーの権利は、データに駆動された対応に形を与えることができるし、またそうすべきでもある」[21]。

†入り口としてのパンデミック

アルンダティ・ロイは、パンデミックを「入り口」として見るよう私たちに呼びかける。パンデミック以後の未来へといたる扉は、開かれた扉だ。しかしそれは、監視資本主義の官民パートナーシップによる略奪行動[22]の前にも閉じられてはいない。そして一九五〇年代にフランスの思想家ジャック・エリュールが論じたような、理想的な「技術」を信じて疑わないテクノソリューショニズムや「データ主義」に対しても開かれている[23]。技術はもともとこの星のさまざまな可能性を切り開き、障害や限界を克服しようとする人間の戦略だった。だが次第にその本来の場所から引きずり出され、技術自体が目的や偶像になりつつある、とエリュールは見た。

過去に何度とあったパンデミックで、「人間は過去と決別し、世界を新たに想像し直すことを強いられた」とロイは言う。今回でもそれは変わらない。新しい世界で監視が必要になる場合、それを主導するものは、利益を引き出す、統制を行うといった要請ではなく、ビッグデータの力への信仰でもなく、人類が繁栄するための要件である。そして普通の人たちが、監視を行う場も含めて、共通善のために他の人たちと協力できる機会をつかむことだ。[24] さらにその目標は、「技術」から「人間らしさ」にフォーカスし直すことによってのみ達せられる。

監視が大きな役割を果たすデータ関連の活動では、その枠組みは技術ではなく、人間を主体とするものであるべきだ。言い換えるなら、技術は人間の必要のために、さらにいえば人類の繁栄のために創り出されるもので、その逆であってはならないのだ。ありきたりな言葉に聞こえるが、本書で示されるあからさまな証拠を見れば、やはり口に出して言うべきことだろう。今回のパンデミックで非常に多かったのは、新しい技術の可能性が興奮を呼ぶあまり、パンデミックの影響をやわらげ人類に恩恵をもたらすという本来の役割が薄れてしまったように感じられる点だ。

最も一般的なレベルでいえば、共通善と人類の繁栄は、大小どちらの規模でも、公正で信頼できる関係が築かれたときに実現できる。パンデミックはグローバルな、もっといえば惑星規模の問題であり、[25] 正義と信頼の問題にもそのレベルで向き合わなくてはならない。人類の繁栄には、人間というものがそれぞれの関係、地域社会、国家、文化、伝統において尊重されるような、国際的に公正な秩序を求めることが伴ってくる。これには多くの人々、とくに先住民や可視的マイノリティなどの最も周縁化された人々に、自分自身のデータがどう使われるかを制御していこうと呼びかけることも含まれる。それにまた、私たちの関係というときには、地球そのものとの関係もそこに含まれることを認識しなくてはならない――人類は地球と依存しあう存在なのだ。新型コロナウイルスのような人獣共通感染症を招きやすい環境は、種の枯渇が直接の原因で生み出されている可能性があることを思い出してほしい。

†他者のための監視

人類の繁栄はなんであれ、たとえば「健康」といったただ一つの特徴ではなく、政府による過度な統制からの解放や、生きるのに必要な基本的資源（食料、住居、人間関係）への十分なアクセスなど、いくつかの補完的な特徴によって定義されるものだ。監視が単に技術的あるいは法的な側面との関係からのみ捉えられることがあまりにも多い。監視がきわめて盛んな今日、ライフチャンスやいろいろな選択の際の決定に役立てられるように、人類の繁栄という観点から評価、判断されるべきで、そのためにはまずデータ正義から取り掛かるのがいいだろう。
データ正義は、人々がいかに可視化され、表現され、扱われるかに気を配るという実践に表れてくる。「権威主義」の政府と「民主主義」の政府といった大ざっぱなくくりは、ただ意見を両極化するほうに働き、実際に行われている操作の問題に取り組むのを難しくしかねない。今回のパンデミックは、監視が議論されるときのカテゴリー区分を再考し、政治的な偏見を明るみに出させ、どの関係を優先させるかという意識をもって現状に立ち向かうチャンスを提供するものだ――ただ他者を監視するのではない、他者のための監視が再びフォーカスされるように。[26] 単なる他者の監視は、「人間第一」ではなく「技術第一」の視点から促される。
不利な立場の人々への嘆かわしい無関心が監視によって深められるのはまま起こることだが、こうした枠組みのなかではそんな必要はなくなる。セントアンドリュース大学のエリック・ストッダートが提案する、オルタナティブな「共通のまなざし（common gaze）」だ。これは「共通善のための、（デジタル的に）貧しい人々を優先する視線を持った監視」を希求するものだ。[27]
そう、私が言おうとしているのは、オルタナティブな監視の手法は人類の繁栄に貢献するということだ。この本ではさまざまな関係の破綻を描いてきたが、それは離れたところから結果――社会的振り分けや自動的に生じる不平等――を定める手段に依存しすぎていることに関係がある。その基盤となるアルゴリズムは、すでに存在する社会の亀裂や権力構造を再生産することがきわめて多い。そしてまた、接触確認などのパンデミック用のツールや、公衆衛生データプラットフォームといった大きなシステムの背後には、政府、企業、政策グループの戦略上の権益がある。彼らが見逃しがちなのは、最も弱い立場にある人々、つまり歴史的に不利益の悪影響を日々こうむっている「いつもの人たち」の日常生活の現実だ。

　しかしこれを放置しておくのはまちがいだろう。いままで強調してきたように、監視資本主義の特徴とは、一般の人たちが協力して動いてくれるかどうかに依存していることだ。自ら進んで監視に加わる人たちは、プラットフォーム企業の求めるものを与え、その中毒的な性質を通じてそれを後押しできる。だが、プラットフォームに抵抗するという動機からそこに加わることもできる。これは監視の戦略に対抗し破壊をもたらす戦術だ。[28] それと同じ懐疑と反発が、パンデミック監視も含めた監視全体への批判的なアプローチにつながっていく。私たちはみなこの監視に関わっている――そしてその再構築に加わることもできるのだ。[29]

パンデミックのあいだに、数えきれない普通の人たちが示してみせた幅広い利他主義が、今後も継続できない理由はあるだろうか。英国の作家、活動家であるジョージ・モンビオットは、とくにパンデミックの打撃を最も大きく受けながらも、ボランティア活動や組織的な支援を行った世界中の人々の話を数多く紹介している。こうしたコンテクストでは、台湾とブラジルで起こったパンデミック監視を緩和しようとする動きについての記述が大いに腑に落ちてくる。モンビオットが言うように、「権力は移行したのだ……市場と国家の両方から、まったく別の場所、つまりコモンズへと」[30]。多くの政府や企業が失敗した場所で、コミュニティ活動は育っていった。

人類の繁栄とは、多くの側面からなる一つの状態だが、いくつか基本的な特徴があり、この点には多くの人たちが同意するだろう。一つは信頼が、もう一つは正義が必要であるということ。この二つはたがいにからみ合っている。信頼とは相手を信じること、相手がその言葉どおりに行動すると当てにできること――望ましい人間関係の基本である。正義とは、相手にとっての善を保証すること――要するに自分が扱われたいと思うように相手を扱うことだ。それには公正さが必要になる。人類の繁栄には他にもさまざまな側面があるが、今回のパンデミック監視のコンテクストでは、こうした側面はパンデミック対応の疑わしい側面ときわめて好対照をなしている。

青白い騎士《ペイルライダー》は恐怖を生み出して活力を奪い、無力感と悲観主義を育むのだろうか。それともこの馬上の亡霊は、テクノソリューショニズムやプラットフォーム企業の利益や政治権力に沿うように定められた監視を指して、さあ、この藁《わら》をつかめば助かるぞと私たちを促すのだろうか。この章で描いてきた「希望への扉」は、私たちのパンデミック以後の優先事項や目的を根本的につくり変え、命を吹き込んでくれるオルタナティブな可能性を提供してくれるものなのだ。

謝辞

かなり野心的だった今回の仕事をなんとか乗り切れるように、またときには楽しめるようにしてくださった方たちに、心から感謝を申し上げる。私の書いたものを読んでコメントをくれ、さらにコンピューティング、コミュニケーション、法律、医学、公衆衛生、社会学、人生経験といった各分野の知見を伝えてくださった寛大で忍耐強い方たち――サマンサ・バットマー、ジョアン・クラーク、トミー・クック、ロドリゴ・フィルミーノ、マーティン・フレンチ、グリフィン・ライアン＝ウィッケ、ニール・マクブライド、ベンジャミン・ミュラー、小笠原みどり、テレサ・スカッサ、サチル・シン、エミリー・スミス、ヴァレリー・スティーブス、そしてポリティ社の依頼を受けた匿名の三人の明敏な校正者に。辛抱強くいろいろなアイデアやストーリー、参考になる情報や助言をくださったラファエル・エヴァンジェリスタ、ルイ・ヒュー、リーティカ・ヘラ、デイヴィッド・レスリー、リザ・リン、ジェイ・ミーハン、ヌルハク・ポラト、ヴィディヤ・スブラマニアン、イーリア・ズレイクに。サポートと励ましを惜しまず、執筆初期の私の懐疑心をやわらげてくれたポリティ社のわが編集者メアリ・サヴィガーに。索引を作ってくれたジェニファー・ウィテカーに。パンデミックのせいで自身の家庭が大変になってもしっかり踏ん張ったエミリー・スミスに。監視関連の本を探してくれたクイーンズ大学スタッファー図書館の司書シルヴィア・アンドリチュクに。そしてもちろん、五〇年以上も私と連れ添い、ゆるがぬ愛情をもってパートナーでいつづけてくれるスーに。

26 これはストッダートの「共通のまなざし」に含まれるテーマだ。

27 「貧しい人々を優先する視線（オプティック）」という概念は、「貧しい人々を優先する選択肢（オプション）」について語った20世紀の解放の神学のもじりである。

28 Michel de Certeau, *The Practice of Everyday Life*, 3rd edition (Berkeley: University of California Press, 2011)〔ミシェル・ド・セルトー『日常的実践のポイエティーク』山田登世子訳、ちくま学芸文庫、2021年〕を参照。以下でも論じている。David Lyon, *The Culture of Surveillance: Watching as a Way of Life* (Cambridge: Polity, 2018)〔ライアン『監視文化の誕生』〕。

29 Mirco Nanni, Gennady Andrienko, Alessandro Vespignani et al., "Give more data, awareness and control to individual citizens and they will help COVID-19 containment," *Ethics and Information Technology*, February 2021.

30 George Monbiot, "The horror films got it wrong. This virus has turned us into caring neighbours," *The Guardian*, March 31, 2020: https://www.theguardian.com/commentisfree/2020/mar/31/virus-neighbours-covid-19.

www.euractiv.com/section/global-europe/interview/byung-chul-han-covid-19-has-reduced-us-to-a-society-of-survival.

13 Linnet Taylor, "The price of certainty: How the politics of pandemic data demand an ethics of care," *Big Data & Society*, July–December 2020: 1–7: https://journals.sagepub.com/doi/full/10.1177/2053951720942539.

14 Jason Kelley, "Governments must commit to transparency during COVID-19 crisis," March 20, 2020: https://www.eff.org/deeplinks/2020/03/governments-must-commit-transparency-during-covid-19-crisis.

15 David Lyon, "Surveillance, transparency and trust: Critical challenges from the COVID-19 pandemic," in Lora Anne Viola and Paweł Laidler, eds., *Trust and Transparency in an Age of Surveillance*（London: Routledge, 2021）を参照。

16 Kirstie Ball et al., "Institutional trustworthiness and national security governance: Evidence from six European countries," *Governance*, 32（1）2018: 103–21.

17 Katherine Hawley, *Trust: A Very Short Introduction*（Oxford University Press, 2012）.

18 Laura Martínez, "Contact tracing and personal data protection face off in Mexico City," *Slate*: https://slate.com/technology/2020/11/mexico-city-qr-code-contact-tracing-program-coronavirus.html.

19 David Pozen, "Seeing transparency more clearly," *Public Administration Review*, 80（2）2020: 326–31.

20 Norma Möllers, *A Culture of Disengagement: Computer Science and the Question of Justice in Algorithms*（Cambridge, MA: MIT Press, forthcoming）.

21 Teresa Scassa, "Privacy rights should drive our approach to using personal data during pandemic," *Policy Options*, April 9, 2020: https://policyoptions.irpp.org/magazines/april-2020/privacy-rights-should-drive-our-approach-to-using-personal-data-during-pandemic.

22 Naomi Klein, "How big tech plans to profit from the pandemic," *The Guardian*, May 13, 2020: https://www.theguardian.com/news/2020/may/13/naomi-klein-how-big-tech-plans-to-profit-from-coronavirus-pandemic を参照。

23 Jacques Ellul, *The Technological Society*（New York: Vintage, 1964）〔ジャック・エリュール『エリュール著作集　技術社会（上・下）』島尾永康・竹岡敬温訳、すぐ書房、1975–76年〕。

24 Eric Stoddart, *The Common Gaze: Surveillance and the Common Good*（London: SCM Press, 2021）.

25 Göran Therborn, "Opus magnum: How the pandemic is changing the world," *Thesis Eleven*, July 6, 2020: https://thesiseleven.com/2020/07/06/opus-magnum-how-the-pandemic-is-changing-the-world. 留意するべきなのは「グローバル」は問題の一部であるということだ。「地球全体」の問題として見ることで、人間が「人新世」にどれほど環境に悪影響を及ぼしてきたかというテーマにつながってくる。以下を参照。Erle C. Ellis, *Anthropocene: A Very Short Introduction*（Oxford University Press, 2018）, 125–7.

録を書いた長老ヨハネは、まったく異なる種類の「支配」に基づく「より良くなった世界」のビジョンを与えられた。そこでは新たになった環境、すべての人間への正義と平和が、いまは地上のすべての民族や国家に混じって暮らす「屠られた子羊」によって保証される。ビジョンとしては、神秘と希望の両方にあふれたものだ。

3 John Milbank and Adrian Pabst, "How the EU could pioneer a new economic model for the post-COVID-19 world," *New Statesman*, June 7, 2020: https://www.newstatesman.com/world/europe/2020/06/EU-economic-model-globalisation-post-covid-trade.

4 Michael J. Selgelid, "Gain-of-function research: Ethical analysis," *Science and Engineering Ethics*, 22, 2016: 923–64: https://link.springer.com/article/10.1007/s11948-016-9810-1.

5 Matthew B. Crawford, "Reclaiming self-rule in the digital dystopia," *American Compass*, June 1, 2021: https://americancompass.org/essays/reclaiming-self-rule-in-the-digital-dystopia にある同様の議論を参照。

6 Kelsie Nabben, "Hacking the pandemic: How Taiwan's digital democracy holds COVID-19 at bay," The Conversation, September 11, 2020: https://theconversation.com/hacking-the-pandemic-how-taiwans-digital-democracy-holds-covid-19-at-bay-145023.

7 Ibid.

8 Linda Hsieh and John Child, "What coronavirus success of Taiwan and Iceland has in common," The Conversation, June 29, 2020: https://theconversation.com/what-coronavirus-success-of-taiwan-and-iceland-has-in-common-140455.

9 Andrew Leonard, "How Taiwan's unlikely Digital Minister hacked the pandemic," *Wired*, July 23, 2020: https://www.wired.com/story/how-taiwans-unlikely-digital-minister-hacked-the-pandemic.

10 Rafael Evangelista, "Necropolitics and neoliberalism in the push for surveillance capitalism in Brazil," in Mizue Aizeki, Matt Mahmoudi and Coline Schupfer (eds.), *Fighting Global Apartheid and Technologies of Violence* (Chicago: Haymarket Books, forthcoming); and Rafael Evangelista and Rodrigo Firmino, "Modes of pandemic existence: Territory, inequality and technology," in Linnet Taylor, Gargi Sharma, Aaron Martin and Shazade Jameson, eds., *Data Justice and COVID-19: Global Perspectives* (London: Meatspace Press, 2020).

11 この部分の詳細は以下を参照。Alcides Eduardo dos Reis Peron, Daniel Edler Duarte, Letícia Simões-Gomes and Marcelo Batista Nery, "Viral surveillance: Governing social isolation in São Paulo, Brazil, during the COVID-19 pandemic," *Social Sciences & Humanities Open*, 3, 2021: 1–10: https://www.sciencedirect.com/science/article/pii/S2590291121000243?via%3Dihub.

12 たとえば、哲学者のビョンチョル・ハンは監視が強まった未来への懸念を語っている。Carmen Sigüenza and Esther Rebollo interview: "Byung-Chul Han: COVID-19 has reduced us to a 'society of survival'," *Euractiv*, May 24, 2020:

sis," *Journal of Human Rights*, 19 (5) 2020: 603–12: https://www.tandfonline.com/doi/pdf/10.1080/14754835.2020.1816163.

41 Kalindi Kokal and Vidya Subramanian, "Locking down on rights: Surveillance and administrative ambiguity in the pandemic," *Engage: Economic and Political Weekly*, 55 (19) 2020: https://www.epw.in/engage/article/locking-down-rights-surveillance-and-ambiguity-covid-19.

42 Tim Dare, March 1, 2021: https://theconversation.com/before-we-introduce-vaccine-passports-we-need-to-know-how-theyll-be-used-156197.

43 Max Fisher, "Vaccine passports, COVID's next political flash point," *New York Times*, updated May 8, 2021: https://www.nytimes.com/2021/03/02/world/europe/passports-covid-vaccine.html.

44 Tariro Mzezewa, "Coming soon: The 'vaccine passport,' " *New York Times*, February 4, 2021: https://www.nytimes.com/2021/02/04/travel/coronavirus-vaccine-passports.html.

45 Claire Loughnan and Sara Dehm, "A COVID 'vaccine passport' may further disadvantage refugees and asylum seekers," The Conversation, February 25, 2021: https://theconversation.com/a-covid-vaccine-passport-may-further-disadvantage-refugees-and-asylum-seekers-155287.

46 Patrick G. Eddington, "Surveillance 'reform': The Fourth Amendment's long, slow goodbye, " *Just Security*, October 16, 2017: https://www.cato.org/commentary/surveillance-reform-fourth-amendments-long-slow-goodbye?queryID=69f02c67cb103a178334b67f09bf4b98などを参照。

47 Eck and Hatz, "State surveillance and the COVID-19 crisis," 607.

48 Dave Gershgorn, "COVID-19 ushered in a new era of government surveillance: Government-mandated drone surveillance and location tracking apps could be here to stay," *OneZero*, December 28, 2020: https://onezero.medium.com/covid-19-ushered-in-a-new-era-of-government-surveillance-414afb7e4220.

49 Louise Abramowitz, "Israel is using emergency pandemic measures to surveil Palestinian protesters," *Jacobin*, May 19, 2021: https://jacobinmag.com/2021/05/israel-covid-19-pandemic-surveillance-measures-palestine-protest.

50 Smith Oduro-Marfo, "Transient crisis, permanent registries," in Taylor et al., eds., *Data Justice and COVID-19*, 140–5.

51 "Policy and institutional responses to COVID-19: New Zealand," Brookings Doha Center, 2021: https://www.brookings.edu/wp-content/uploads/2021/01/MENA-COVID-19-Survey-New-Zealand-.pdf.

第7章　希望への扉

1 Simon Dein, "COVID-19 and the apocalypse: Religious and secular perspectives," *Journal of Religion and Health*, 60 (1) 2021: 5–15: https://www.ncbi.nlm.nih.gov/pmc/articles/PMC7598223などを参照。

2 こうした分析が示すのは、黙示録が1世紀に、ローマ帝国の支配下で不安定な暮らしをしているキリスト教徒に向けて書かれたものだということだ。黙示

the digital response to covid-19," *Global Public Health*, February 2021: https://www.tandfonline.com/doi/full/10.1080/17441692.2021.1882530.

26 Shoshana Zuboff, *The Age of Surveillance Capitalism* (New York: Public Affairs, 2019)〔ズボフ『監視資本主義』〕。

27 Jonathan Cinnamon, "Social injustice in surveillance capitalism," *Surveillance & Society*, 15 (5) 2017: 609–25.

28 Rafael Evangelista and Rodrigo Firmino, "Pandemic technopolitics in the Global South," unpublished paper presented at the Surveillance Studies Centre, Queen's University, Canada, in October 2020.

29 Rafael Evangelista and Rodrigo Firmino, "Modes of pandemic existence: Territory, inequality and technology," in Linnet Taylor, Gargi Sharma, Aaron Martin and Shazade Jameson, eds., *Data Justice and COVID-19: Global Perspectives* (London: Meatspace Press, 2020): https://issuu.com/meatspacepress/docs/msp_data_justice_covid-19_digital_issuu.

30 Ronald Deibert, "Watch what you say," *The Globe and Mail*, November 21, 2020, "Opinion," 3.

31 Carmel Shachar, Sara Gerke and Eli Adashi, "AI surveillance during pandemics: Ethical implementation imperatives," Hastings Center Report, May-June 2020: https://onlinelibrary.wiley.com/doi/pdfdirect/10.1002/hast.1125.

32 以下に引用されている。Maya Wang, "China: Fighting COVID-19 with automated tyranny," *The Diplomat*, April 1, 2020: https://thediplomat.com/2020/03/china-fighting-covid-19-with-automated-tyranny.

33 Jiwei Ci, *Democracy in China: The Coming Crisis* (Cambridge, MA: Harvard University Press, 2019).

34 Azadeh Akbari, "Authoritarian surveillance: A Corona test," *Surveillance & Society*, 19 (1) 2021: 98–103: https://ojs.library.queensu.ca/index.php/surveillance-and-society/article/view/14545/9536.

35 Marcella Cassiano, Kevin D. Haggerty and Ausma Bernot, "China's response to the COVID-19 pandemic: Surveillance and autonomy," *Surveillance & Society*, 19 (1) 2021: 94–7: https://ojs.library.queensu.ca/index.php/surveillance-and-society/article/view/14550/9535.

36 小笠原みどり「パンデミック監視資本主義の台頭――デジタル網に閉じ込められる私たち」『世界』2021年4月号、96–104頁（英訳は著者の提供による）。

37 Civicus Monitor, "Country rating changes," 2020: https://findings2020.monitor.civicus.org/rating-changes.html, reported by Kate Hodal, "COVID used as pretext to curtail civil rights around the world, finds report," *The Guardian*, December 9, 2020: https://www.theguardian.com/global-development/2020/dec/09/covid-used-as-pretext-to-curtail-civil-rights-around-the-world-finds-report.

38 Kitchin, "Civil liberties *or* public health," 9.

39 Lyon, *Surveillance after September 11*〔ライアン『9・11以後の監視』〕を参照。

40 Kristine Eck and Sophia Hatz, "State surveillance and the COVID-19 cri-

16 https://www.bbc.com/news/technology-57102664を参照。

17 Gemma Newlands, Christoph Lutz, Aurelia Tamò-Larrieux et al., "Innovation under pressure: Implications for data privacy during the COVID-19 pandemic," *Big Data & Society*, July-December, 2020: 1-14: https://journals.sagepub.com/doi/pdf/10.1177/2053951720976680. Jordan Frith and Michael Saker, "It is all about location: Smartphones and tracking the spread of COVID-19," *Social Media & Society*, 6 (3) 2020: 1-4: https://journals.sagepub.com/doi/full/10.1177/2056305120948257も参照。

18 Ozgun Topak, "The making of a totalitarian surveillance machine: Surveillance in Turkey under AKP rule," *Surveillance & Society*, 15 (3/4) 2017: 535-42: https://ojs.library.queensu.ca/index.php/surveillance-and-society/article/view/6614; David Lyon, *Surveillance after September 11* (Cambridge: Polity, 2003)〔ライアン『9・11以後の監視』〕。

19 Rob Kitchin, "Civil liberties *or* public health, or civil liberties *and* public health? Using surveillance technologies to tackle the spread of COVID-19," *Space and Polity*, 24 (3) 2020: 362-81: https://www.tandfonline.com/doi/full/10.1080/13562576.2020.1770587.

20 カナダでは2020年3月にオンタリオ州とブリティッシュコロンビア州で（カナダの医療は州の管轄下に置かれている）、パンデミック関連のデータの取り扱いに関する法的要件がひっそりと修正された。たとえば以下を参照。Sarah Villeneuve and Darren Elias, "Surveillance creep: Data collection and privacy in Canada during COVID-19," Brookfield Institute, September 2, 2020: https://brookfieldinstitute.ca/surveillance-creep-data-collection-and-privacy-in-canada-during-covid-19.

21 David Murakami Wood, "Japan: High and low tech responses," in Linnet Taylor, Gargi Sharma, Aaron Martin and Shazade Jameson, eds., *Data Justice and COVID-19: Global Perspectives* (London: Meatspace Press, 2020).

22 George Baca, "Eastern surveillance, Western malaise, and South Korea's COVID-19 response: Oligarchic power in Hell Joseon," *Dialectical Anthropology*, 44, 2020: 301-7: https://link.springer.com/content/pdf/10.1007/s10624-020-09609-y.pdf.

23 Junghwan Kim and Mei-Po Kwan, "An examination of people's privacy concerns, perceptions of social benefits, and acceptance of COVID-19 mitigation measures that harness location information: A comparative study of the U.S. and South Korea," *International Journal of Geo-Information*, 10 (1) 2021: https://www.mdpi.com/2220-9964/10/1/25.

24 Craig Timberg, Elizabeth Dwoskin, Drew Harwell and Tony Romm, "Governments around the world are trying a new weapon against coronavirus: Your smartphone," *Washington Post*, April 17, 2020: https://www.washingtonpost.com/technology/2020/04/17/governments-around-world-are-trying-new-weapon-against-coronavirus-your-smartphone.

25 Katerini Tagmatarchi Storeng and Antoine de Bengy Puyvallée, "The smartphone pandemic: How Big Tech and public health authorities partner in

nov-2020.pdf.

3 Naomi Klein, *The Shock Doctrine: The Rise of Disaster Capitalism* (New York: Picador, 2008)〔クライン『ショック・ドクトリン』〕。

4 "Everything's under control: The state in the time of COVID-19," *The Economist*, March 28, 2020.

5 Ron Amadeo, "Even creepier COVID tracking: Google silently pushed app to users' phones," Ars Technica, June 21, 2021: https://arstechnica.com/gadgets/2021/06/even-creepier-covid-tracking-google-silently-pushed-app-to-users-phones.

6 https://www.weforum.org/agenda/2020/02/coronavirus-chinese-companies-response.

7 Lily Kuo and Niko Kommenda, "What is China's *Belt and Road* initiative?" *The Guardian*, July 30, 2018: https://www.theguardian.com/cities/ng-interactive/2018/jul/30/what-china-belt-road-initiative-silk-road-explainer; and https://www.sciencedirect.com/science/article/pii/S2590051X20300095.

8 監視資本主義がいつ到来したのかを定めるのは難しいが、概していえば21世紀の現象で、実際に表に現れてきたといえるのは2005年だ。SARS の発生は2003年だったが、その対応に監視資本主義がどこまで関係していたかはいまも議論が分かれる。いずれにしろ、監視資本主義という言葉はまだなかった。ようやくそう呼ばれるようになったのは2008年ごろである。

9 Arundhati Roy, "The pandemic is a portal," *Financial Times*, April 3, 2020: https://www.ft.com/content/10d8f5e8-74eb-11ea-95fe-fcd274e920ca.

10 Jatin Anand, "In Delhi, pet crematorium to be used for last rites of COVID patients," *The Hindu*, April 30, 2021: https://www.thehindu.com/news/cities/Delhi/pet-crematorium-to-be-used-for-last-rites-of-covid-patients/article34444826.ece.

11 "India COVID death toll tops 200,000 as essential supplies run out," *Al Jazeera*, April 28, 2021: https://www.aljazeera.com/news/2021/4/28/india-virus-death-toll-tops-200000-essential-supplies-run-out.

12 中国政府は台湾を中国の一部とみなしていて、WHO もそのことに配慮しているのか、台湾の保健統計を中国のものに含めて扱っている。つまり台湾の相対的な成功を WHO は認めていないのだ。https://www.bbc.com/news/world-asia-52088167を参照。

13 Jennifer Summers et al., "Potential lessons from the Taiwan and New Zealand health responses to the COVID-19 pandemic," *The Lancet*, 4 (October, 2020): 100044: https://www.thelancet.com/journals/lanwpc/article/PIIS2666-6065(20)30044-4/fulltext.

14 "Coronavirus: How does the NHS test-and-trace system and app work?" BBC, August 5 2021: https://www.bbc.com/news/explainers-52442754.

15 Rajeev Syal, "No evidence £22bn Test-and-Trace scheme cut COVID rates in England, say MPs," *The Guardian*, March 10, 2021: https://www.theguardian.com/world/2021/mar/10/no-evidence-22bn-test-and-trace-scheme-cut-covid-rates-in-england-say-mps.

36 Stephanie Russo Carroll, Randall Akee, Pyrou Chung and others, "Indigenous people's data during COVID-19: From external to internal," *Frontiers in Sociology*, Policy Brief, March 29, 2021: https://www.frontiersin.org/articles/10.3389/fsoc.2021.617895/full.

37 Achille Mbembe, "Necropolitics," *Public Culture*, 15 (1) 2003: 11–40: https://muse.jhu.edu/article/39984.

38 Elizabeth Renieris, "What's really at stake with vaccine passports" Centre for International Governance Innovation: https://www.cigionline.org/articles/whats-really-stake-vaccine-passports.

39 David Lyon, *Identifying Citizens: ID Cards as Surveillance* (Cambridge: Polity, 2009)〔デイヴィッド・ライアン『膨張する監視社会――個人識別システムの進化とリスク』田畑暁生訳、青土社、2010年〕および Ozgun Topak and David Lyon, "Promoting global identification: corporations, IGOs and ID card systems," in Kirstie Ball and Laureen Snider, eds., *The Surveillance-Industrial Complex: A Political Economy of Surveillance* (London and New York: Routledge, 2013), 27–43.

40 David Child, " 'A can of worms': Experts weigh in on the vaccine passport debate," *Al Jazeera*, March 14, 2021: https://www.aljazeera.com/news/2021/3/14/vaccine-passport-qa を参照。

41 Aubrey Allegretti and Robert Booth, "Covid-status certificate scheme could be unlawful discrimination, says EHRC," *The Guardian*, April 14, 2021: https://www.theguardian.com/world/2021/apr/14/covid-status-certificates-may-cause-unlawful-discrimination-warns-ehrc.

42 Joshua Cohen, "Covid-19 vaccine passports could exacerbate global inequities," *Forbes*, March 4, 2021: https://www.forbes.com/sites/joshuacohen/2021/03/04/vaccine-passports-could-exacerbate-global-inequities/?sh=7ccc367e7874.

43 Steven Thrasher, "Global vaccine equity is much more important than 'vaccine passports,' " *The Scientific American*, April 7, 2021: https://www.scientificamerican.com/article/global-vaccine-equity-is-much-more-important-than-vaccine-passports.

44 Linnet Taylor, "What is data justice? The case for connecting digital rights and freedoms globally," *Big Data & Society*, 4 (2) 2017: 1–14: https://journals.sagepub.com/doi/10.1177/2053951717736335.

第6章　民主主義と権力

1 パンデミックへの政治的対応についてのグローバルな情報は、プライバシー・インターナショナルから得られる。https://privacyinternational.org/examples/tracking-global-response-covid-19.

2 Murray Hunter, "Track and trace, trial and error: Assessing South Africa's approaches to privacy in covid-19 digital contact tracing," The Media Policy and Democracy Project, 2020: https://www.mediaanddemocracy.com/uploads/1/6/5/7/16577624/track-and-trace-digital_contact-tracing-in-sa-

tion?" *Big Data & Society*, July–December 2020: 1–6: https://journals.sagepub.com/doi/pdf/10.1177/2053951720978995.

23 Aman Sharma, "Surge in Aadhaar enrolments ahead of COVID-19 vaccine rollout for all," *The Economic Times*, January 21, 2021: https://economictimes.indiatimes.com/news/politics-and-nation/surge-in-aadhaar-enrolments-ahead-of-vax-rollout-for-all/articleshow/80374328.cms?from=mdr.

24 https://internetfreedom.in/sign-on-and-support-close-to-10-organisations-and-158-individuals-who-are-warning-against-aadhaar-based-facial-recognition-for-vaccination.

25 "Wallet biopsies on the millions who lack cover," *The Independent*, June 22, 2000: www.independent.co.uk/life-style/health-and-families/health-news/wallet-biopsies-on-the-millions-who-lack-cover-5370483.html.

26 Mirca Madianou, "A second-order disaster? Digital technologies during the COVID-19 pandemic," *Social Media & Society*, 6 (3) July–September 2020: 1–5: https://journals.sagepub.com/doi/pdf/10.1177/2056305120948168.

27 Shoshana Zuboff, *The Age of Surveillance Capitalism* (New York: Public Affairs, 2019)〔ズボフ『監視資本主義』〕。

28 Linnet Taylor, Gargi Sharma, Aaron Martin and Shazade Jameson, eds., *Data Justice and COVID-19: Global Perspectives* (London: Meatspace Press, 2020), 11.

29 Zuboff, *The Age of Surveillance Capitalism*〔ズボフ『監視資本主義』〕を参照。

30 Clare Bambra, Ryan Riordan, John Ford and Fiona Matthews, "The COVID-19 pandemic and health inequalities," *Journal of Epidemiology and Community Health*, 74 (11) 2020: https://jech.bmj.com/content/74/11/964.

31 Shehzad Ali, Miqdad Asaria and Saverio Stranges, "COVID-19 and inequality: Are we all in this together?" *Canadian Journal of Public Health*, 111 (3) 2020: 415–16: https://www.ncbi.nlm.nih.gov/pmc/articles/PMC7310590.

32 Sachil Singh, "Collecting race-based data during coronavirus pandemic may fuel dangerous prejudices," The Conversation, May 27, 2020: https://theconversation.com/collecting-race-based-data-during-coronavirus-pandemic-may-fuel-dangerous-prejudices-137284.

33 Maayan Lubell, "Israeli Supreme Court bans unlimited COVID-19 mobile phone tracking," Reuters, March 1, 2021: https://www.reuters.com/article/health-coronavirus-israel-surveillance/israeli-supreme-court-bans-unlimited-covid-19-mobile-phone-tracking-idINKCN2AT25R.

34 Shaul Duke, "Nontargets: Understanding the apathy towards the Israeli security agency's COVID-19 surveillance," *Surveillance & Society*, 19 (1) 2021: 114–29: https://ojs.library.queensu.ca/index.php/surveillance-and-society/article/view/14271.

35 Ahmed Kabel and Robert Phillipson, "Structural violence and hope in catastrophic times: From Camus' *The Plague* to COVID-19," *Race & Class*, 62 (4) 2021: 3–18.

夏健一監訳、IBI国際ビジネス研究センター訳、同文舘出版、1997年〕、David Lyon, ed., *Surveillance as Social Sorting: Privacy, Risk and Digital Discrimination* (London: Routledge, 2003).

9 Moira Wyton, "Indigenous people don't feel safe accessing health care ...," *The Tyee*, July 9, 2020: https://thetyee.ca/News/2020/07/09/Indigenous-People-Accessing-Health-Care-Not-Safe などを参照。

10 David Leslie et al., "Does 'AI' stand for augmenting inequality in the era of COVID-19 healthcare?" *British Medical Journal*, 372 (304) 2021: https://www.bmj.com/content/372/bmj.n304.

11 Li Yang, "Health Code app needs to be elderly-friendly," *Straits Times*, August 22, 2020: https://www.straitstimes.com/asia/health-code-app-needs-to-be-elderly-friendly-china-daily-columnist.

12 Huizhong Wu, " 'Sadness in my heart': Residents of China's Hubei, China, freed from lockdown, face suspicion," Reuters, April 9, 2020: https://www.reuters.com/article/us-health-coronavirus-china-hubei-idUSKCN21R1OF.

13 https://www.worldometers.info/coronavirus/?utm_campaign=homeAdvegas1 を参照。

14 Christopher Parsons, "Contact tracing must not compound historical discrimination," *Policy Options*, April 30, 2020: https://policyoptions.irpp.org/magazines/april-2020/contact-tracing-must-not-compound-historical-discrimination.

15 Linnet Taylor, "The price of certainty: How the politics of pandemic data demand an ethics of care," *Big Data & Society*, July-December 2020: 1-7: https://journals.sagepub.com/doi/pdf/10.1177/2053951720942539.

16 Apoorvanand, "How the coronavirus outbreak in India was blamed on Muslims," *Al Jazeera*, April 18, 2020: https://www.aljazeera.com/opinions/2020/4/18/how-the-coronavirus-outbreak-in-india-was-blamed-on-muslims.

17 Riccardo Fogliato, Alice Xiang and Alex Chouldechova, "Why PATTERN should not be used: The perils of using algorithmic risk assessment tools during COVID-19," https://www.partnershiponai.org/why-pattern-should-not-be-used-the-perils-of-using-algorithmic-risk-assessment-tools-during-covid-19.

18 Stefania Milan and Emiliano Treré, "The rise of the data poor: the COVID-19 pandemic seen from the margins," *Social Media & Society*, July-September 2020: 1-5: https://journals.sagepub.com/doi/pdf/10.1177/2056305120948233.

19 Ibid., 2.

20 https://www.statista.com/statistics/1103965/latin-america-caribbean-coronavirus-deaths.

21 新型コロナウイルス感染症がいかにアドハーなどの監視用デジタル身元証明を利用しているかは、以下で論じられている。Aaron Martin, "Aadhaar in a box? Legitimizing digital identity in times of crisis," *Surveillance & Society*, 19 (1) 2021: 104-8: https://ojs.library.queensu.ca/index.php/surveillance-and-society/article/view/14547/9537.

22 Silvia Masiero, "COVID-19: What does it mean for digital social protec-

public health crises, Part I," *Prehospital and Disaster Medicine*, October 2020: 1–10: www.ncbi.nlm.nih.gov/pmc/articles/PMC7653233.

38 Sheryl Spithoff and Tara Kiran, "The dark side of Canada's shift to corporate-driven health care," *The Globe and Mail*, April 30, 2021: https://www.theglobeandmail.com/opinion/article-the-dark-side-of-canadas-shift-to-corporate-driven-health-care.

39 Ian Barns, "On loving our monsters," *Zadok Perspectives*, 149, 2020: 12–14.

第５章　不利益とトリアージ

1 これは報道された経緯のとおりだ。公衆衛生の関係者たちは、かつてのHIVがそうだったように、誰が誰から何を「感染させられた」のかを実際に知ることは難しいと指摘する。

2 Andrea Huncar, "Black Canadians hit hard by COVID-19, new national study shows," CBC, September 2, 2020: https://www.cbc.ca/news/canada/edmonton/black-canadians-covid-19-study-1.5708530.

3 "The impact of COVID-19 on black Canadians," report from the Innovative Research Group, September 2020: https://innovativeresearch.ca/the-impact-of-covid-19-on-black-canadians.

4 パンデミックの監視と取り締まり、社会的不平等については、たとえば以下を参照。Randy Lippert and Adam Molnar, "Surveillance, police, and quarantining COVID-19 in Canada and Australia," in Claire Hamilton and David Nelken, (eds.), *Research Handbook on Comparative Criminal Justice* (Cheltenham: Edward Elgar, forthcoming).

5 Tereza Hendl, Ryoa Chung and Verina Wild, "Pandemic surveillance and racialized subpopulations: Mitigating *vulnerabilities* in COVID-19 apps," *Bioethical Inquiry*, 17 (4) 2020: 829–34: https://www.ncbi.nlm.nih.gov/pmc/articles/PMC7445800.

6 "Statement on COVID-19: Ethical considerations from a global perspective," UNESCO, April 2020: https://unesdoc.unesco.org/ark:/48223/pf0000373115.

7 Ruha Benjamin, "Black skin, white masks: Racism, vulnerability and refuting black pathology," Princeton University: https://aas.princeton.edu/news/black-skin-white-masks-racism-vulnerability-refuting-black-pathology.

8 「社会的振り分け（ソーシャルソーティング）」という用語は、オスカー・ガンジーによる、企業が顧客をカテゴリーに分けてそれぞれでちがう扱いをする「パノプティックソート」という概念から生まれた。これはデータベースマーケティングや顧客関係管理（CRM）を通じて行われるもので、こうした手法（あるいはその類似物）はいま、他の多くの分野でも行われている。監視資本主義は進んだかたちの社会的振り分けによって盛んになるが、これはトリアージの手法と相性が良い。トリアージが必要とされるのは、ヘルスデータを利用して検査やワクチン配布をどう行うかを決定する場合だ。以下を参照。Gandy, *The Panoptic Sort* (Boulder: Westview, 1993; new edition with afterword, 2021)〔O・H・ガンジー Jr.『個人情報と権力――統括選別の政治経済学』江

22 Vino Lucero, "Fast tech to silence dissent, slow tech for public health crisis," in Linnet Taylor, Gargi Sharma, Aaron Martin and Shazade Jameson, eds., *Data Justice and COVID-19: Global Perspectives* (London: Meatspace Press, 2020), 227.

23 Taylor, "What is data justice?" 5.

24 https://migrationdataportal.org/themes/migration-data-relevant-covid-19-pandemic.

25 Frank Pasquale, *The Black Box Society: The Secret Algorithms that Control Money and Information* (Cambridge, MA: Harvard University Press, 2015).

26 Albert Meijer and C. William R. Webster, "The COVID-19-crisis and the information polity: An overview of responses and discussions in 21 countries from 6 continents," *Information Polity*, 25, 2020: 243–74.

27 キチンのdataとcaputaについての指摘にならうなら、データを「生の」とするのは正確な表現ではありえない。Lisa Gitelman, ed., *"Raw Data" is an Oxymoron* (Cambridge, MA: MIT Press, 2013) も参照。

28 Mirca Madianou, "A second-order disaster? Digital technologies during the COVID-19 pandemic," *Social Media & Society*, 6 (3) July–September 2020: 1–5.

29 Ruha Benjamin, *Race after Technology* (Cambridge: Polity, 2019).

30 Stefania Milan, "Techno-solutionism and the standard human in the making of the COVID-19 pandemic," *Big Data & Society*, July–December 2020: 1–7: https://journals.sagepub.com/doi/pdf/10.1177/2053951720966781.

31 Linnet Taylor, "The price of certainty: How the politics of pandemic data demand an ethics of care," *Big Data & Society*, July–December 2020: 1–7: https://journals.sagepub.com/doi/pdf/10.1177/2053951720942539.

32 Norma Möllers, *A Culture of Disengagement: Computer Science and the Question of Justice in Algorithms* (Cambridge, MA: MIT Press, forthcoming), 128.

33 Safiya Noble, *Algorithms of Oppression: How Search Engines Reinforce Racism* (New York University Press, 2018).

34 Katherine Mangan, "The surveilled student," *Chronicle of Higher Education*, February 15, 2021: https://www.chronicle.com/article/the-surveilled-student.

35 Clare Garvie and Jonathan Frankle, "Facial-recognition software might have a racial bias problem," *The Atlantic*, April 7, 2016: https://www.theatlantic.com/technology/archive/2016/04/the-underlying-bias-of-facial-recognition-systems/476991.

36 Wim Naudé, "Artificial Intelligence vs COVID-19: Limitations, constraints and pitfalls," *AI & Society*, 35, 2020: 761–5: https://link.springer.com/article/10.1007/s00146-020-00978-0.

37 Frederick Burkle, David Bradt and Benjamin Ryan, "Global public health database support to population-based management of pandemics and global

8 このコメントは、ジェームズ・ラッドの発言とともに、以下で見られる。https://scitechdaily.com/300-covid-19-machine-learning-models-have-been-developed-none-is-suitable-for-detecting-or-diagnosing.

9 John Cheney-Lippold, *We Are Data: Algorithms and the Making of our Digital Selves* (New York University Press, 2017)〔ジョン・チェニー＝リッポルド『WE ARE DATA――アルゴリズムが「私」を決める』高取芳彦訳、日経BP社、2018年〕。

10 「データ・ダブル」については以下で論じている。*David Lyon, Surveillance Studies: An Overview* (Cambridge: Polity, 2007), 4-6〔ライアン『監視スタディーズ』〕。

11 José van Dijck, "Datafication, dataism and dataveillance: Big Data between scientific paradigm and ideology," *Surveillance & Society*, 12 (2) 2014: 197-208: https://ojs.library.queensu.ca/index.php/surveillance-and-society/article/view/datafication.

12 José van Dijck and Donya Alinejad, "Social media and trust in scientific expertise: Debating the COVID-19 pandemic in the Netherlands," *Social Media & Society*, Oct.-Dec. 2020: 1-11: https://journals.sagepub.com/doi/pdf/10.1177/2056305120981057.

13 Rob Kitchin, "Civil liberties *or* public health, or civil liberties *and* public health? Using surveillance technologies to tackle the spread of COVID-19," *Space and Polity*, 24 (3) 2020: 362-81: https://www.tandfonline.com/doi/full/10.1080/13562576.2020.1770587.

14 Short Url, "Drones take Italians' temperature and issue fines," *Arab News*, April 10, 2020: https://www.arabnews.com/node/1656576/world.

15 Martin French and Eric Mykhalovskiy, "Public health intelligence and the detection of potential pandemics," *Sociology of Health and Illness*, 35 (2) 2013: 174-87: https://onlinelibrary.wiley.com/doi/epdf/10.1111/j.1467-9566.2012.01536.x.

16 https://www.who.int/csr/alertresponse/epidemicintelligence/en を参照。

17 Declan Butler, "Web data predict flu," *Nature*, November 19, 2008: https://doi.org/10.1038/456287a.

18 David Lazer, Ryan Kennedy, Gary King and Alessandro Vespignani, "The parable of Google Flu: Traps in Big Data analysis," *Science*, March 14, 2014: https://science.sciencemag.org/content/343/6176/1203.full.

19 この箇所はリネット・テイラーの研究をほぼ踏襲したものであり、以降の章でも頻出する。Linnet Taylor, "What is data justice? The case for connecting digital rights and freedoms globally," *Big Data & Society*, 4 (2) 2017: 1-14: https://journals.sagepub.com/doi/10.1177/2053951717736335.

20 Aubrey Allegretti and Robert Booth, "COVID-status certificate scheme could be unlawful discrimination, says EHRC," *The Guardian*, April 14, 2021: https://www.theguardian.com/world/2021/apr/14/covid-status-certificates-may-cause-unlawful-discrimination-warns-ehrc.

21 Taylor, "What is data justice?" 4.

sumer data. What are retailers doing with it?" *NBC News*, December 8, 2020: https://www.nbcnews.com/business/business-news/spike-online-shopping-comes-spike-consumer-data-what-are-retailers-n1250349.

45 Sonam Samat, Alessandro Acquisti, and Linda Babcock, "Raise the curtains: The effect of awareness about targeting on consumer attitudes and purchase intentions," Proceedings of the Thirteenth Symposium on Usable Privacy and Security, July 12–14, 2017: https://www.usenix.org/system/files/conference/soups2017/soups2017-samat-awareness.pdf.

46 「ズーム疲れ」はいろいろなかたちをとるが、集中を求められること、とくに目の負担と関係がある。たとえばマルチタスク、スクリーンに映る自分を絶えず見る、慣れないかたちの思考が必要になる、休憩をとる間もなくワンクリックで別の場に移ることを期待される、などだ。

47 Claudio Celis Bueno, "Pandemia, tecnologia y trabajo" (with English trans. as "Pandemic, technology and work"), Global Data Justice, December 1, 2020: https://globaldatajustice.org/covid-19/pandemic-technology-work.

48 Ibid., 196.

第4章　データはすべてを見るのか？

1 Satchit Balsari, Caroline Buckee and Tarun Khanna, "Which COVID-19 data can you trust?" *Harvard Business Review*, May 8, 2020: https://hbr.org/2020/05/which-covid-19-data-can-you-trust.

2 https://www.axios.com/coronavirus-google-searches-dc472633-33c8-4ab2-97db-0f17c8e3d28d.html.

3 ロブ・キチンは、重要だが忘れられがちな、datum（与えられるもの）とcaptum（取られるもの）の違いを指摘する。「データ」という言葉が使われるとき、多くの人が実際に言っているのはcaptaのことだ。科学者は自然が「与える」ものを受け取るだけではなく、常に自然から必要なものを選び取っているからだ。この誤解が多くの問題を引き起こしている。Rob Kitchin, *The Data Revolution* (London: Sage, 2014), 2を参照。

4 Clive Norris and Gary Armstrong, *The Maximum Surveillance Society: The Rise of CCTV* (London: Berg, 1999); Gavin Smith, *Opening the Black Box: The Work of Watching* (London: Routledge, 2014).

5 ここに介在しているのは、私たちが見るだろう、あるいは見たいと思っているもの（諜報員は何を探すかを指示されている）、もしくは技術である。監視カメラが「見る」のはカメラが向けられたものだけであり、「顔認証」されるのはアルゴリズムが許すものだけだ。

6 Margaret Boden, *Artificial Intelligence: A Very Short Introduction* (Oxford University Press, 2018), 1 and 39ff.

7 Michael Roberts, Derek Driggs and Matthew Thorpe et al., "Common pitfalls and recommendations for using machine learning to detect and prognosticate for COVID-19 using chest radiographs and CT scans," *Nature Machine Intelligence*, March 15, 2021: https://www.nature.com/articles/s42256-021-00307-0.

32 Jane Bailey, Jacquelyn Burkell, Priscilla Regan and Valerie Steeves, "Children's privacy is at risk with rapid shifts to online schooling under coronavirus," The Conversation, April 21, 2020: https://theconversation.com/childrens-privacy-is-at-risk-with-rapid-shifts-to-online-schooling-under-coronavirus-135787.

33 Kate Gibson, "Google secretly monitors millions of schoolkids, lawsuit alleges," *CBS News*, February 21, 2020: https://www.cbsnews.com/news/google-education-spies-on-collects-data-on-millions-of-kids-alleges-lawsuit-new-mexico-attorney-general.

34 Chuanmei Dong, Simin Cao, and Hui Li, "Young children's online learning during COVID-19 pandemic: Chinese parents' beliefs and attitudes," *Child Youth Services Review*, November 2020: https://www.ncbi.nlm.nih.gov/pmc/articles/PMC7476883.

35 Sara Morrison, "The year we gave up on privacy," Vox, December 23, 2020: https://www.vox.com/recode/22189727/2020-pandemic-ruined-digital-privacy.

36 Sunny Dhillon and Kevin Wu, "Delivery 2.0: How on-demand meal services will become something far bigger," *Fast Company*, February 15, 2021: https://www.fastcompany.com/90604082/future-of-on-demand-meal-delivery-ghost-kitchens-postmates-doordash-uber-eats.

37 Alnoor Peermohamed, "E-commerce is fast becoming the default option for shopping in India," *The Economic Times*, March 15, 2021: https://economictimes.indiatimes.com/tech/technology/e-commerce-is-fast-becoming-the-default-option-for-shopping-in-india/articleshow/81502440.cms?from=mdr.

38 "COVID-19 has changed online shopping forever, survey shows," UNCTAD, 2021: https://unctad.org/news/covid-19-has-changed-online-shopping-forever-survey-shows.

39 Gabriela Mello, "Brazil ecommerce jumps 57% in first five months of 2020 fueled by COVID-19," https://Reuters: www.reuters.com/article/brazil-ecommerce-idUSL1N2E02QI.

40 Arjun Kharpal, "China's e-commerce giants get a boost as consumers continue to shift online after coronavirus," CNBC: https://www.cnbc.com/2020/08/24/china-e-commerce-boosted-by-shift-to-online-shopping-after-coronavirus.html.

41 Ryan McMorrow and Nian Liu, "How a pandemic led the world to start shopping on Alibaba," *Financial Times*, April 28, 2020: https://www.ft.com/content/4b1644b1-aeee-4d02-805a-c3ac26291412.

42 Jay Greene, "Amazon now employs more than 1 million people," *Washington Post*, October 29, 2020: https://www.washingtonpost.com/technology/2020/10/29/amazon-hiring-pandemic-holidays.

43 Emily West, "Amazon: Surveillance as a service," *Surveillance & Society*, 17 (1/2) 2019: 27–33.

44 Leticia Miranda, "With the spike in online shopping comes a spike in con-

Business/Business-Spotlight/Back-to-the-office-How-Japan-might-work-after-COVID-19.

22 Eileen Brown, "Employee surveillance software demand increased as workers transitioned to home working," ZDNet, November 16, 2020: https://www.zdnet.com/article/employee-surveillance-software-demand-increased-as-workers-transitioned-to-home-working; April Berthene, "Merchants use stores to tap into same-day delivery," *Digital Commerce 360*, April 5, 2021: https://www.digitalcommerce360.com/2021/04/05/merchants-use-stores-to-tap-into-same-day-delivery/.

23 Baruch Silvermann, "Does working from home save companies money?" Business.com, June 16, 2020: https://www.business.com/articles/working-from-home-save-money.

24 Rachel Connolly, "The pandemic has taken surveillance of workers to the next level," *The Guardian*, December 14, 2020: https://www.theguardian.com/commentisfree/2020/dec/14/pandemic-workers-surveillance-monitor-jobs; Kate Power, "The COVID-19 pandemic has increased the care burden of women and families," *Sustainability: Science, Practice and Policy*, 16 (1) 2020: https://www.tandfonline.com/doi/full/10.1080/15487733.2020.1776561.

25 この現象は大学にも当てはまり、監視が大学の管理当局だけでなく、研究者の「ネットワーキング」のためにできたResearchGateやAcademia.eduによっても行われている。たとえば以下を参照。David Lyon and Lucas Melgaço, "Surveillance and the quantified scholar: A critique of digital academic platforms," in Leonie Maria Tanczer (ed.), "Online Surveillance, Censorship, and Encryption in Academia," special issue of *International Studies Perspectives*, 21 (1) 2019: 1-36.

26 Maalsen and Dowling, "COVID-19 and the accelerating smart home," 4を参照。

27 Ronald Deibert, "Watch what you say," *The Globe and Mail*, November 21, 2020, "Opinion," 3.

28 Katherine Mangan, "The surveilled student," *Chronicle of Higher Education*, February 15, 2021: https://www.chronicle.com/article/the-surveilled-student?cid=gen_sign_in.

29 Jason Kelley, Bill Budington and Sophia Cope, "Proctoring tools and dragnet investigations rob students of due process," Electronic Frontier Foundation, April 15, 2021: https://www.eff.org/deeplinks/2021/04/proctoring-tools-and-dragnet-investigations-rob-students-due-process.

30 Colleen Flaherty, "Big Proctor," Inside Higher Ed, May 11, 2020: https://www.insidehighered.com/news/2020/05/11/online-proctoring-surging-during-covid-19.

31 Margaret Finders and Joaquin Muñoz, "Cameras on: Surveillance in the time of COVID-19," Inside Higher Ed, March 3, 2021: https://www.insidehighered.com/advice/2021/03/03/why-its-wrong-require-students-keep-their-cameras-online-classes-opinion.

insider.com.au/work-from-home-sneek-webcam-picture-5-minutes-monitor-video-2020-3.

9 Teresa Scassa, "Pandemic innovation: The private sector and the development of contact-tracing and exposure notification apps," *Business and Human Rights Journal*, 2021: 1–8: https://www.cambridge.org/core/journals/business-and-human-rights-journal/article/pandemic-innovation-the-private-sector-and-the-development-of-contacttracing-and-exposure-notification-apps/78A78BE8922FD8512A93C6648B76C2CE.

10 以下にあるすばらしい概要を参照のこと。Kirstie Ball, "Workplace surveillance: an overview," *Labor History*, 51（1）2010: 87–106: https://doi.org/10.1080/00236561003654776.

11 Karl Marx, *Capital: Volume 1*（London: Pelican Books, 1979）, 549〔マルクス『資本論（全９冊）』エンゲルス編、向坂逸郎訳、岩波文庫、1969–70年〕。

12 Chris Matyszczyk, "I looked at all the ways Microsoft Teams tracks users and my head is spinning," ZDNet, January 17, 2021: https://www.zdnet.com/article/i-looked-at-all-the-ways-microsoft-teams-tracks-users-and-my-head-is-spinning, and https://docs.microsoft.com/en-us/microsoftteams/teams-analytics-and-reports/teams-reporting-reference.

13 Ball, "Workplace surveillance: an overview," 100.

14 以下に引用がある。Graeme Lockwood and Vandana Nath, "The monitoring of tele-homeworkers in the UK: Legal and managerial implications," *International Journal of Law and Management*, December 2020: https://www.emerald.com/insight/content/doi/10.1108/IJLMA-10-2020-0281/full/html.

15 CNBC, May 13, 2020, cited by Ivan Manokha, "COVID-19: Teleworking, surveillance and 24/7 work," *Political Anthropological Research on International Social Sciences*, 1, 2020: 273–87（282）.

16 International Labour Organization, *Working from Home: From Invisibility to Decent Work*, ILO, 2021: https://www.ilo.org/wcmsp5/groups/public/---ed_protect/---protrav/---travail/documents/publication/wcms_765806.pdf.

17 Ifeoma Ajunwa, Kate Crawford, and Jason Schultz, "Limitless worker surveillance," *California Law Review*, 105（3）2017: 735–76.

18 Étienne Charbonneau and Carey Doberstein, "An empirical assessment of the intrusiveness and reasonableness of emerging work surveillance technologies in the public sector," *Public Administration Review*, 80（5）2020: 780–91: https://ocul-qu.primo.exlibrisgroup.com/permalink/01OCUL_QU/sk7he5/cdi_gale_infotracacademiconefile_A636800186.

19 Ibid., 785.

20 以下から引用。Alex Hern, "Shirking from home? Staff feel the heat as bosses ramp up remote surveillance," *The Guardian*, September 27, 2020: https://www.theguardian.com/world/2020/sep/27/shirking-from-home-staff-feel-the-heat-as-bosses-ramp-up-remote-surveillance.

21 Eri Sugiura and Akane Okutsu, "Back to the office? How Japan might work after COVID-19," *Nikkei Asia*, March 19, 2021: https://asia.nikkei.com/

"Application of Big Data technology for COVID-19 prevention and control in China: Lessons and Recommendations," *Journal of Medical Internet Research*, 2020: https://www.jmir.org/2020/10/e21980.

50 https://theconversation.com/contact-tracing-apps-apple-dictating-policies-to-nations-wont-help-its-eu-anti-trust-probe-141304.

51 Teresa Scassa, "Privacy rights should drive our approach to using personal data during pandemic," *Policy Options*, April 9, 2020: https://policyoptions.irpp.org/magazines/april-2020/privacy-rights-should-drive-our-approach-to-using-personal-data-during-pandemic.

52 David Murakami Wood, "The 'surveillance society': Questions of history, place and culture," *European Journal of Criminology*, 6 (2) 2009: 179–94.

53 Zygmunt Bauman and David Lyon, *Liquid Surveillance: A Conversation* (Cambridge: Polity, 2013)〔バウマン、ライアン『私たちが、すすんで監視し、監視される、この世界について』〕。

54 David Murakami Wood, "The global turn to authoritarianism and after," *Surveillance & Society*, 15 (3/4) 2017: 369: https://ojs.library.queensu.ca/index.php/surveillance-and-society/article/view/6835/ed_authority.

55 Michel Foucault, *Discipline and Punish: The Birth of the Prison* (New York: Vintage Books, 1979)〔ミシェル・フーコー『監獄の誕生――監視と処罰〔新装版〕』田村俶訳、新潮社、2020年〕。

56 "Countries are using apps and data networks to keep tabs on the pandemic," *The Economist*, March 28, 2020.

57 Stuart Elden, "Plague, Panopticon, Police," *Surveillance & Society*, 1 (3) 2003: 240–53: https://ojs.library.queensu.ca/index.php/surveillance-and-society/article/view/3339.

58 Foucault, *Discipline and Punish*, 196〔フーコー『監獄の誕生』〕。

第3章　ターゲットは家庭

1 Michel Foucault, *Discipline and Punish: The Birth of the Prison* (New York: Vintage Books, 1979), 198〔フーコー『監獄の誕生』〕。

2 Ibid., 195〔同書〕。

3 Ibid., 195–6〔同書〕。

4 https://www.un.org/en/about-us/universal-declaration-of-human-rights を参照。

5 https://www.cbc.ca/news/politics/william-amos-liberal-mp-naked-parliament-1.5988128を参照。

6 Sophia Maalsen and Robyn Dowling, "COVID-19 and the accelerating smart home," *Big Data & Society*, 7 (2) 2020.

7 Thorin Klosowski, "How your boss can use your remote-work tools to spy on you," *New York Times* "Wirecutter," February 10, 2021: https://www.nytimes.com/wirecutter/blog/how-your-boss-can-spy-on-you.

8 Aaron Holmes, "Employees at home are being photographed every five minutes ...," *Business Insider Australia*, March 24, 2020: https://www.business

of Information and Privacy Association.

34 Patrick O'Neill, Tate Ryan-Mosley and Bobbie Johnson, "A flood of coronavirus apps are tracking us. Now it's time to keep track of them," *MIT Technology Review*, May 7, 2020: https://www.technologyreview.com/2020/05/07/1000961/launching-mittr-covid-tracing-tracker.

35 Mozur et al., "In Coronavirus fight, China gives citizens a color code, with red flags."

36 この馴染み深い論点については、私が以下の本で論じている。David Lyon, *Surveillance after September 11* (Cambridge: Polity, 2003)〔ライアン『9・11以後の監視』〕。

37 Martin French, Adrian Guta, Marilou Gagnon and others, "Corporate contact tracing as a pandemic response," *Critical Public Health*, October 2020: https://www.tandfonline.com/doi/full/10.1080/09581596.2020.1829549.

38 Frank Pasquale, *The Black Box Society: The Secret Algorithms that Control Money and Information* (Cambridge, MA: Harvard University Press, 2015).

39 2021年5月13日付のＢＢＣニュースのリポート（『ネイチャー』誌に掲載予定の研究のプレビュー）。https://www.bbc.com/news/technology-57102664.

40 Seth Schindler, Nicholas Jepson and Wenxing Cui, "COVID-19, China and the future of global development," *Research in Globalization*, 2, December 2020: https://www.sciencedirect.com/science/article/pii/S2590051X20300095.

41 https://www.nytimes.com/2020/11/15/technology/virus-wearable-tracker-privacy.html.

42 Saskia Popescu and Alexandra Phelan, "Vaccine passports won't get us out of the pandemic," *New York Times*, March 22, 2021: https://www.nytimes.com/2021/03/22/opinion/covid-vaccine-passport-problem.html.

43 Tariro Mzezewa, "Coming soon: The 'vaccine passport'," *New York Times*, February 4, 2021: https://www.nytimes.com/2021/02/04/travel/coronavirus-vaccine-passports.html.

44 Jobie Budd, Benjamin S. Miller, Erin M. Manning et al., "Digital technologies in the public-health response to COVID-19," *Nature Medicine*, August 7, 2020: https://www.nature.com/articles/s41591-020-1011-4.

45 第1章の原注6を参照。

46 Matthew Gould, Indra Joshi and Ming Tang, "The power of data in a pandemic," on the Gov.UK site: https://healthtech.blog.gov.uk/2020/03/28/the-power-of-data-in-a-pandemic.

47 Sarah Brayne, "Big Data surveillance: The case of policing," *American Sociological Review*, 82 (5) 2017: 977–1008: https://www.asanet.org/sites/default/files/attach/journals/oct17asrfeature.pdf などを参照。

48 Michael Steinberger, "Does Palantir see too much?" *New York Times Magazine*, October 21, 2020: https://www.nytimes.com/interactive/2020/10/21/magazine/palantir-alex-karp.html.

49 Jun Wu, Jian Wang, Stephen Nicholas, Elizabeth Maitland and Qiuyan Fan,

21 プラットフォーム企業が利益のためにデータを吸い上げるという考え方にあまり馴染みのない方は、以下の動画を見てほしい。*The Social Dilemma*, a Netflix documentary, released in 2020〔『監視資本主義――デジタル社会がもたらす光と影』2020年配信〕。

22 https://www.nature.com/articles/d41586-020-03518-4.

23 https://www.brookings.edu/techstream/inaccurate-and-insecure-why-contact-tracing-apps-could-be-a-disaster.

24 Andreas Illmer, "Singapore reveals COVID privacy data available to police," *BBC News*, January 5, 2021: https://www.bbc.com/news/world-asia-55541001.

25 Andrew Urbaczewski and Young Jin Lee, "Information technology and the pandemic: A preliminary multinational analysis of the impact of mobile tracking technology on the COVID-19 contagion control," *European Journal of Information Systems*, 29 (4) 2020: 405–14: https://www.tandfonline.com/doi/pdf/10.1080/0960085X.2020.1802358

26 Rob Kitchin, "Civil liberties *or* public health, or civil liberties *and* public health? Using surveillance technologies to tackle the spread of COVID-19," *Space and Polity*, 24 (3) 2020: 362–81: https://www.tandfonline.com/doi/full/10.1080/13562576.2020.1770587.

27 Liza Lin, "China marshals its surveillance powers against coronavirus," *Wall Street Journal*, February 4, 2020: https://www.wsj.com/articles/china-marshals-the-power-of-its-surveillance-state-in-fight-against-coronavirus-11580831633.

28 https://www.scmp.com/tech/apps-social/article/3064574/beijing-rolls-out-colour-coded-qr-system-coronavirus-tracking.

29 Fan Liang, "COVID-19 and Health Code: How digital platforms tackle the pandemic in China," *Social Media & Society*, July-September 2020: 1–4: https://journals.sagepub.com/doi/pdf/10.1177/2056305120947657.

30 Amnesty International, "Bahrain, Kuwait and Norway contact tracing apps among most dangerous for privacy" : https://www.amnesty.org/en/latest/news/2020/06/bahrain-kuwait-norway-contact-tracing-apps-danger-for-privacy.

31 Ivan Semeniuk, "Ottawa promotes contact tracing app for Canadiams in fight against the spread of COVID-19," *The Globe and Mail*, June 18, 2020: https://www.theglobeandmail.com/canada/article-ontario-to-roll-out-contact-tracing-app.

32 News release, Office of the Privacy Commissioner of Canada, July 31, 2020: https://www.priv.gc.ca/en/opc-news/news-and-announcements/2020/nr-c_200731.

33 https://iclmg.ca/covid-alert などが、以下を含む複数のグループによる2020年4月の合意に言及している。OpenMedia.ca, the International Civil Liberties Monitoring Group, the British Columbia Civil Liberties Association, the Canadian Internet Policy and Public Interest Clinic, and British Columbia Freedom

30908.

11 以下にある警告を参照のこと。Marcello Lenca and Effy Vayena, "On the responsible use of digital data to tackle the COVID-19 pandemic," *Nature Medicine*, March 27, 2020 — "Secrecy about data access and use should be avoided. Transparent public communication about data processing for the common good should be pursued" : https://www.nature.com/articles/s41591-020-0832-5.

12 https://www.nytimes.com/article/coronavirus-timeline.html.

13 Chris Baraniuk, "What the Diamond Princess taught the world abut COVID-19," *British Medical Journal*, 369, April 27, 2020: https://www.bmj.com/content/369/bmj.m1632.

14 Hariz Baharudin and Lester Wong, "Coronavirus: Singapore develops smartphone app for efficient contact tracing," *Straits Times*, March 20, 2020: https://www.straitstimes.com/singapore/coronavirus-singapore-develops-smartphone-app-for-efficient-contact-tracing.

15 Paul Mozur, Raymond Zhong and Aaron Krolik, "In Coronavirus fight, China gives citizens a color code, with red flags," *New York Times*, March 1, 2020: https://www.nytimes.com/2020/03/01/business/china-coronavirus-surveillance.html.

16 以下の２つを参照。CCLA report, "Stay off the grass: COVID-19 and law enforcement in Canada," June 2020: https://ccla.org/wp-content/uploads/2021/06/2020-06-24-Stay-Off-the-Grass-COVID19-and-Law-Enforcement-in-Canada1.pdf. Katrina Clarke, "Police checking on residents' COVID status shakes public trust, says Hamilton civic rights group," *Hamilton Spectator*, August 20, 2020: https://www.thespec.com/news/hamilton-region/2020/08/20/police-checking-on-residents-covid-status-shakes-public-trust-says-hamilton-civic-rights-group.html.

17 Teresa Scassa, "Pandemic innovation: The private sector and the development of contact-tracing and exposure notification apps," *Business and Human Rights Journal*, 2021: 1–8: https://www.cambridge.org/core/journals/business-and-human-rights-journal/article/pandemic-innovation-the-private-sector-and-the-development-of-contacttracing-and-exposure-notification-apps/78A78BE8922FD8512A93C6648B76C2CE.

18 Zygmunt Bauman and David Lyon, *Liquid Surveillance: A Conversation* (Cambridge: Polity, 2013)〔ジグムント・バウマン、デイヴィッド・ライアン『私たちが、すすんで監視し、監視される、この世界について――リキッド・サーベイランスをめぐる７章』伊藤茂訳、青土社、2013年〕。

19 David Lyon, *The Electronic Eye* (Cambridge: Polity, 1994); and David Lyon, *Surveillance Studies: An Overview* (Cambridge: Polity, 2007)〔デイヴィッド・ライアン『監視スタディーズ――「見ること」「見られること」の社会理論』田島泰彦・小笠原みどり訳、岩波書店、2011年〕を参照。

20 David Lyon, *The Culture of Surveillance: Watching as a Way of Life* (Cambridge: Polity, 2018)〔ライアン『監視文化の誕生』〕。

www.computerweekly.com/feature/Surveillance-capitalism-in-the-age-of-Covid-19.

24 Achille Mbembe, "Necropolitics," *Public Culture*, 15 (1) 2003: 11–40: https://warwick.ac.uk/fac/arts/english/currentstudents/postgraduate/masters/modules/postcol_theory/mbembe_22necropolitics22.pdf. Namrata Verghese, "What is necropolitics? The political calculation of life and death," *Teen Vogue*, March 10, 2021: https://www.teenvogue.com/story/what-is-necropolitics も参照のこと。

25 Deborah Lupton, "Digital health and the coronavirus crisis," *Medium*: https://deborahalupton.medium.com/digital-health-and-the-coronavirus-crisis-three-sociological-perspectives-10ec9e01ade4.

26 H. Ceren Ates, Ali K. Yetisen, Firat Güder and Can Dincer, "Wearable devices for the detection of COVID-19," *Nature Electronics*, 4 2021: 13–14: https://www.nature.com/articles/s41928-020-00533-1.

27 David Lyon (ed.), *Surveillance as Social Sorting: Privacy, Risk and Digital Discrimination* (London: Routledge, 2003).

第2章　感染症が監視を駆動する

1 https://apps.who.int/iris/handle/10665/330376.

2 Megha Mandavia in *Economic Times*, May 11, 2020: https://economictimes.indiatimes.com/news/politics-and-nation/new-plea-in-kerala-hc-against-aarogya-setu-app/articleshow/75676487.cms?from=mdr.

3 Sofia Nazalya, *Human Rights Outlook*, September 2020: https://www.maplecroft.com/insights/analysis/hro-asia-emerges-as-worlds-surveillance-hotspot.

4 WHO, "Speeding up detection to slow down Ebola," 2019: https://www.afro.who.int/news/speeding-detection-slow-down-ebola-smartphone-app-game-changer-contact-tracing-hotspots.

5 www.bloomberg.com/news/articles/2020-05-21/big-tech-and-government-s-contact-tracing-systems-have-flaws.

6 https://www.bbc.com/news/world-asia-55541001を参照。

7 Colin Bennett and David Lyon, "Data-driven elections: Implications and challenges for democratic societies," *Internet Policy Review*, 8 (4) 2019: https://policyreview.info/data-driven-elections.

8 Martin French, "Woven of war-time fabrics: The globalization of public health surveillance," *Surveillance & Society*, 6 (2) 2009: 101–15: https://ojs.library.queensu.ca/index.php/surveillance-and-society/article/view/3251/3214.

9 カナダでは、健康の社会的決定要因については以下で短く説明されている。https://www.canada.ca/en/public-health/services/health-promotion/population-health/what-determines-health.html.

10 Jill Fisher and Torin Monahan, "The 'biosecuritization' of healthcare delivery: Examples of post-9/11 technological imperatives," *Social Science & Medicine*, 72 (4) 2011: 545–52: https://www.ncbi.nlm.nih.gov/pmc/articles/PMC71

the World (London: Cape, 2017).

12 Nurhak Polat, "Dijital pandemi gözetimi, beden politikalari ve eşitsizlikler" ("Digital pandemic surveillance, body politics and inequalities"), *Feminist Approaches in Culture and Politics*, 41 (Autumn) 2020. 引用の英訳は著者の提供による。

13 David Lyon, *The Culture of Surveillance: Watching as a Way of Life* (Cambridge: Polity, 2018)〔デイヴィッド・ライアン『監視文化の誕生——社会に監視される時代から、ひとびとが進んで監視する時代へ』田畑暁生訳、青土社、2019年〕。Daniel Trottier, Qian Huang, and Rashid Gabdulhakov, "Covidiots as global acceleration of local surveillance practices," *Surveillance & Society*, 19 (1) 2021: 109–13: https://ojs.library.queensu.ca/index.php/surveillance-and-society/article/view/14546/9538も参照のこと。

14 Ian Hacking, "Making up people," *The London Review of Books*, 28 (16) August 2006: https://www.lrb.co.uk/the-paper/v28/n16/ian-hacking/making-up-people.

15 「テクノソリューショニズム」という語は以下の本に基づく。Evgeny Morozov, *To Save Everything, Click Here* (New York: Public Affairs, 2014).

16 Rob Kitchin, "Civil liberties *or* public health, or civil liberties *and* public health? Using surveillance technologies to tackle the spread of COVID-19," *Space and Polity*, 24 (3) 2020: 362–81: https://www.tandfonline.com/doi/full/10.1080/13562576.2020.1770587. ソリューショニズムという特効薬の最たる例が、接触確認アプリとワクチンだ。たしかに役に立つが、その効果には限りがある。

17 David Lyon, *Surveillance after September 11* (Cambridge: Polity, 2003)〔デイヴィッド・ライアン『9・11以後の監視——〈監視社会〉と〈自由〉』田島泰彦監修、清水知子訳、明石書店、2004年〕。

18 Sumit Ganguly, "India's not as safe as you think it is," *Foreign Policy*, April 26, 2019: https://foreignpolicy.com/2019/04/26/indias-not-as-safe-as-you-think-it-is-mumbai-attacks.

19 Naomi Klein, *The Shock Doctrine: The Rise of Disaster Capitalism* (New York: Picador, 2008)〔ナオミ・クライン『ショック・ドクトリン——惨事便乗型資本主義の正体を暴く（上・下）』幾島幸子・村上由見子訳、岩波書店、2011年〕。

20 Naomi Klein, "Screen New Deal," *The Intercept*, May 8, 2020: https://theintercept.com/2020/05/08/andrew-cuomo-eric-schmidt-coronavirus-tech-shock-doctrine.

21 https://news.un.org/en/story/2020/05/1064752を参照。

22 本書はマーティン・フレンチとトリン・モナハンからの、パンデミックを社会的問題として捉え、とくに監視との関連であきらかになる立場の弱さや構造的不平等を検証するべし、という求めに応えるものだ。以下を参照。"Disease surveillance: How might Surveillance Studies address COVID-19?" *Surveillance & Society*, 18 (1), 2020: 1–11.

23 Sebastian Klovig Skelton, interview with Shoshana Zuboff: "Surveillance capitalism in the age of COVID-19," *Computer Weekly*, May 13, 2020: https://

原　注

第１章　決定的瞬間

1　Amy L. Fairchild, Ronald Bayer and James Colgrove, *Searching Eyes: Privacy, the State and Disease Surveillance in America* (Berkeley: University of California Press, 2007); and https://daily.jstor.org/john-snow-and-the-birth-of-epidemiology を参照。また、Lorna Weir and Eric Mykhalovskiy, *Global Public Health Vigilance: Creating a World on Alert* (London: Routledge, 2010) も参照のこと。

2　David M. Morens, Gregory K. Folkers and Anthony S. Fauci, "What is a pandemic?" *The Journal of Infectious Diseases*, 200 (7) 2009: 1018–21.

3　https://www.who.int/immunization/monitoring_surveillance/burden/vpd/en.

4　Robert Fahey and Airo Hino, "COVID-19, digital privacy and the social limits on data-focussed public health responses," *International Journal of Information Management*, 55 (December) 2020: https://www.ncbi.nlm.nih.gov/pmc/articles/PMC7328565.

5　Eun-Young Jeong, "South Korea tracks virus patients' travels — and publishes them online," *The Wall Street Journal*, February 16, 2020.

6　監視資本主義は以下で最初に記述された。John Bellamy Foster and Robert W. McChesney, "Surveillance capitalism: Monopoly-finance capital, the military-industrial complex and the digital age," *Monthly Review*, 66 (3) 2014: https://monthlyreview.org/2014/07/01/surveillance-capitalism; and Vincent Mosco, *To the Cloud: Big Data in a Turbulent World* (Boulder: Paradigm, 2014). ただし最も有名な分析が見られるのは以下の本だ。Shoshana Zuboff, *The Age of Surveillance Capitalism* (New York: Public Affairs, 2019)〔ショシャナ・ズボフ『監視資本主義——人類の未来を賭けた闘い』野中香方子訳、東洋経済新報社、2021年〕。

7　https://www.vice.com/en/article/bv8ga4/sidewalk-labs-abandons-its-smart-city-in-toronto.

8　Sidney Fussell, "The city of the future is a data-collection machine," *The Atlantic*, November 21, 2018: https://www.theatlantic.com/technology/archive/2018/11/google-sidewalk-labs/575551.

9　Julia Powles, "Why are we giving away our most sensitive health data to Google?" *The Guardian*, July 5, 2017.

10　Albert Camus, *The Plague* (English trans. of *La Peste*) (Harmondsworth: Penguin, 1960)〔アルベール・カミュ『ペスト』宮崎嶺雄訳、新潮文庫、1969年〕。

11　Laura Spinney, *Pale Rider: The Spanish Flu of 1918 and How it Changed*

ワ　行

その他

タ　行

ナ　行

ハ　行

索　引

ア　行

カ　行

ちくま新書
1639

パンデミック監視《かんし》社会《しゃかい》

二〇二二年三月一〇日 第一刷発行

著者 デイヴィッド・ライアン

訳者 松本剛史（まつもと・つよし）

発行者 喜入冬子

発行所 株式会社 筑摩書房
東京都台東区蔵前二‐五‐三 郵便番号一一一‐八七五五
電話番号〇三‐五六八七‐二六〇一（代表）

装幀者 間村俊一

印刷・製本 三松堂印刷 株式会社

ISBN978-4-480-07468-3 C0236

ちくま新書

1528
レイシズムとは何か
梁英聖

「日本に人種差別はあるのか」。実は、この疑問自体が差別を生み出しているのだ。「人種」を表面化させず、差別を扇動し、社会を腐敗させるその構造に迫る。

1445
コミュニティと都市の未来
――新しい共生の作法
吉原直樹

多様性を認め、軽やかに移動する人々によるコミュニティはいかにして成立するのか。新しい共生の作法が、既存の都市やコミュニティを変えていく可能性を探る。

1371
アンダークラス
――新たな下層階級の出現
橋本健二

就業人口の15％が平均年収186万円。この階級の人々はどのように生きているのか？　若年・中年、女性、高齢者とケースにあわせ、その実態を明らかにする。

1422
教育格差
――階層・地域・学歴
松岡亮二

親の学歴や居住地域など「生まれ」によって、子どもの学歴・未来は大きく変わる。本書は、就学前から高校まで教育格差を緻密に検証し、採るべき対策を提案する。

1571
デジタルで変わる子どもたち
――学習・言語能力の現在と未来
バトラー後藤裕子

スマホ、SNS、動画、ICT教育……デジタル技術の発展で急速に変化する子どもの学習環境。最新研究をもとにデジタル時代の学びと言語能力について考察する。

1352
情報生産者になる
上野千鶴子

問いの立て方、データ収集、分析、アウトプットまで、新たな知を生産し発信するための方法を全部詰め込んだ一冊。学生はもちろん、すべての学びたい人たちへ。

1575
コロナ対策禍の国と自治体
――災害行政の迷走と閉塞
金井利之

なぜコロナウイルス対策で、国対自治体の構図に象徴される非難応酬が起きるのか。民衆にとって行政のコロナ対策自体が災禍となっている苛政の現状を分析する。

ちくま新書

1619
コロナ政策の費用対効果
原田泰
PCR検査、緊急事態宣言、医療提供、給付金や休業補償などをめぐるコロナ政策の費用対効果を数量的に分析。政策の当否を検証し、今後あるべき政策を提言する。

1155
医療政策を問いなおす
——国民皆保険の将来
島崎謙治
地域包括ケア、地域医療構想、診療報酬改定。2018年に大転機をむかえる日本の医療の背景と動向を精細に分析し、医療政策のあるべき方向性を明快に示す。

1510
ドキュメント 感染症利権
——医療を蝕む闇の構造
山岡淳一郎
何が救命を阻むのか。情報の隠蔽、政官財学の癒着、学閥、731部隊人脈、薬の特許争い……新型コロナ禍をはじめ危機下にも蠢き医療を蝕む、邪悪な構造を暴く。

1536
医学全史
——西洋から東洋・日本まで
坂井建雄
医学はいかに発展してきたのか。古代から西洋伝統医学が続けてきた科学的探究は一九世紀に飛躍的な発展を見せる。萌芽期から現代までの歴史を辿る決定版通史。

1632
ニュースの数字をどう読むか
——統計にだまされないための22章
トム・チヴァース
デイヴィッド・チヴァース
北澤京子訳
ニュースに出てくる統計の数字にはさまざまな裏がある、前提がある。簡単に信じてはいけません。数字にだまされないノウハウを具体例をあげてわかりやすく伝授。

852
ポストモダンの共産主義
——はじめは悲劇として、二度めは笑劇として
S・ジジェク
栗原百代訳
9・11と金融崩壊でくり返された、グローバル危機という掛け声に騙されるな——闘う思想家が混迷の時代を分析、資本主義の虚妄を暴き、真の変革への可能性を問う。

980
アメリカを占拠せよ！
ノーム・チョムスキー
松本剛史訳
アメリカで起きつつある民衆の自発的蜂起が止まらない。金持ちから社会を奪還できるか。連帯は可能か。政治に絶望するのはこの本を読んでからでも遅くない！

ちくま新書

1119 近代政治哲学 ——自然・主権・行政 國分功一郎

今日の政治体制は、近代政治哲学が構想したものだ。ならば、その基本概念を検討することで、いまの民主主義体制が抱える欠点も把握できるはず！ 渾身の書き下し。

1039 社会契約論 ——ホッブズ、ヒューム、ルソー、ロールズ 重田園江

この社会の起源には何があったのか。ホッブズ、ヒューム、ルソー、ロールズの議論を精密かつ大胆に読みなおし、近代の中心的思想を今に蘇らせる清冽な入門書！

1409 不道徳的倫理学講義 ——人生にとって運とは何か 古田徹也

私たちの人生を大きく左右するにもかかわらず、倫理学では無視されがちな「運」をめぐる是非。それらの議論を古代から現代までたどり、人間の生の在り方を探る。

1241 不平等を考える ——政治理論入門 齋藤純一

格差の拡大がこの社会に致命的な分断をもたらしている。不平等の問題を克服するため、どのような制度を共有すべきか。現代を覆う困難にいどむ、政治思想の基本書。

294 デモクラシーの論じ方 ——論争の政治 杉田敦

民主主義、民主的な政治とは何なのか。あまりに基本的と思える問題について、一から考え、デモクラシーにおける対立点や問題点を明らかにする、対話形式の試み。

1176 迷走する民主主義 森政稔

政権交代や強いリーダーシップを追求した「改革」がもたらしたのは、民主主義への不信と憎悪だった。その背景に何があるのか。政治の本分と限界を冷静に考える。

1612 格差という虚構 小坂井敏晶

学校は格差再生産装置であり、遺伝・環境論争は階級闘争だ。近代が平等を掲げる裏には何が隠されているのか。格差論の誤解を撃ち、真の問いを突きつける。